D1431975

FILLES D'ÈVE

CHRISTIANE OLIVIER

Filles d'Ève

Psychologie et sexualité féminines

Denoël

Avec la collaboration
du Dr Claude Françoise Dubreuil
pour le « Point de vue gynécologique »

© by Éditions Denoël, 1990
30, rue de l'Université, 75007 Paris
ISBN 2-207-23712-5
B 23712-1

Ce qui donne un sens à tout ce que je vais dire ici, c'est que je suis totalement persuadée que la façon dont nous sommes conçus, et ensuite éduqués depuis notre naissance, est déterminante quant à notre facon de vivre plus tard.

Notre sexualité d'adulte n'échappe pas à cette règle, c'est pourquoi nous avons du mal à repérer en nous ce que d'autres y ont inscrit sans le savoir et ce, dès notre plus jeune âge.

Je dédie ce livre à toute femme qui voudrait EN SAVOIR PLUS sur elle-même et sur ce qu'elle EST du seul fait qu'elle s'appelle FEMME...

C.O.

Introduction

Elle était gynécologue, elle m'adressait de jeunes femmes sans règles, ou sans jouissance; j'étais psychanalyste et il m'arrivait de lui envoyer des femmes d'âge mûr avec ou sans règles mais surtout dépressives...

Et parfois les femmes allaient de l'une à l'autre, essayant de réparer tour à tour leur corps et leur esprit : il y avait donc chez la femme possibilité d'interdépendance entre le psychisme et les hormones.

Le corps de la femme victime de ses hormones ou de son inconscient... Et si les hormones dépendaient de l'inconscient, ce metteur en scène toujours présent mais toujours invisible?

Nous avons voulu mettre ici nos deux savoirs à l'épreuve, nous avons voulu que les femmes apprennent à « se connaître » sur le plan physique et sur le plan psychique, afin qu'elles puissent s'apprécier telles qu'elles sont et non plus telles qu'elles sont vues du dehors ou telles qu'elles ont été assignées à être pendant des siècles... Ce livre est une prise de conscience de l'état de la femme à ce jour, tant du point de vue psychique que du point de vue biologique.

Chaque femme quel que soit son âge trouvera ici son histoire du moment... La psychanalyste parle beaucoup d'enfance puisque c'est là que se constitue définitivement notre rapport à l'Autre... La gynécologue parle beaucoup d'hormones, puisque après en avoir été longtemps esclaves nous apprenons aujourd'hui à nous en servir pour écarter un fatalisme historique, qui ne convient plus aux femmes que nous sommes en train de devenir. N'est-ce pas essentiel à l'heure où notre vie se voit prolongée par la médecine, bien au-delà du temps de la maternité?

Elle médecin, moi psychanalyste, nous côtoyons de trop près le « féminin » pour ne pas souffrir de voir les femmes non seulement ignorer leur propre fonctionnement, mais parfois même en avoir honte. Honte ou ignorance qui ne facilitent guère l'adaptation consciente à une vie hormonale cyclique et souvent capricieuse!

Ce livre est la double histoire du corps et de l'esprit chez la femme, qui, lors de sa naissance, est reconnue femme par son corps puis curieusement élevée comme s'il fallait toujours donner d'autres preuves de féminité que celles du corps... Il y a une féminité de fait : celle de notre sexe et puis une féminité de société : celle que nous devons prouver à tout instant. Ainsi allons-nous de la femme à la femme-femme, à la femme-mère puis à la mère tout court selon que les hormones accompagnent notre corps ou l'abandonnent...

Comment traverser d'un pas égal cette vie ou trop terne ou trop colorée? Comment éviter de « rêver » sur ce que l'on n'a pas et de « pleurer » sur ce que l'on n'a plus? Ceci est l'histoire d'une bien étrange voyageuse qui tour à tour a trop de bagages ou trop peu! Quoi qu'il en soit, c'est votre histoire si vous êtes une femme.

Chapitre premier

Naître au féminin

Ils sont jeunes, amoureux, attendrissants, ils annoncent qu'Elle attend un enfant et tout le monde entend cet enfant comme le fruit de leurs désirs partagés ayant pris forme humaine. Au début, peu leur importe de savoir quelle sera cette forme, masculine ou féminine. C'est leur enfant, il a la couleur de leur amour, ils ne veulent pas en connaître tout de suite le sexe qui, ils le sentent confusément, pourrait les séparer l'un de l'autre.

Certains parents, même, ne voudront pas être informés du sexe de l'enfant lors des différentes échographies. Parce qu'ils tiennent à garder leur impartialité vis-à-vis de celui qui va venir. Ils savent de façon innée et naturelle que ce qui concerne le sexe ne les laisse JAMAIS indifférents. Et ils veulent retenir le plus longtemps possible leur réaction inconsciente et conserver cet enfant comme « imaginaire ».

Pourquoi le sexe revêt-il une telle importance à vos yeux?

Parce que les parents étant eux-mêmes des êtres sexués, la nature de leur amour pour l'enfant est obligatoirement influencée par le sexe de celui-ci. Selon que l'enfant est d'un sexe ou de l'autre, il reçoit de chacun de ses parents un message inconscient différent :

– Chaque parent voit dans l'enfant de *même sexe que lui*, un possible recommencement. Il se représente déjà l'avenir de cet enfant, en fonction de son *propre passé*, et il l'englobe, voire l'enferme dans un « projet identificatoire » auquel l'enfant répondra plus ou moins selon que le parent demandera moins ou plus.

– Chaque parent voit dans l'enfant *de sexe opposé*, celui qui est « différent » et qui a quelque chose que lui « n'a pas », mais qui, passant par sa lignée, lui « appartient » un peu. L'enfant de sexe opposé *enrichit* son parent en lui apportant l'autre versant de la sexualité, et le parent se trouvant ainsi complété envoie à l'enfant le message œdipien inconscient : « Il est bon que tu sois ce que tu ES », message confortant pour l'identité sexuelle de l'enfant qui se trouve bien d'ÊTRE ce qu'il est.

(Cette relation entre enfant et parent de sexe opposé est dite « œdipienne ». C'est certainement la plus confortable que l'enfant éprouvera dès sa naissance, même si par la suite elle doit donner lieu à la crainte de castration chez l'homme et à la crainte de viol chez la femme. Bien qu'on ne parle guère de l'Œdipe que chez l'enfant de trois ans – parce que c'est en effet seulement à ce moment-là qu'on en voit les manifestations évidentes telles que l'idée d'épouser son parent œdipien – l'Œdipe a commencé dès les premiers jours avec le parent de sexe opposé et l'inconscient de celui-ci.)

C'est ainsi que l'enfant, cheminant entre deux inconscients, celui de chacun de ses parents, entre l'Œdipe et l'identification, établira peu à peu sa propre structure personnelle.

Ce sont donc les sentiments initiaux des parents qui déclenchent la réponse de l'enfant ?

Oui, c'est ainsi que cela fonctionne « inconsciemment » : chaque parent a une place bien déterminée auprès de son enfant. Et c'est pourquoi l'éducation par un seul parent, la mère le plus souvent, ne va pas sans poser de problèmes... L'évolution du garçon, aussi bien que celle de la fille, rencontre certaines difficultés spécifiques en l'absence d'un des parents.

J'ai déjà expliqué ailleurs *, comment l'Œdipe du garçon avec la mère paraît favorable dans un premier temps, mais « indénouable » par la suite et responsable de la misogynie masculine, et comment le manque d'Œdipe pour la fille avait l'effet inverse, c'est-à-dire que n'ayant noué aucun lien hétérosexuel dans son enfance, la femme accorde ensuite un trop grand prix à l'amour de l'homme...

La présence de la mère ou d'une autre femme comme seule éducatrice, qui est encore la situation la plus couramment rencontrée dans la famille, favorise le narcissisme du garçon, mais est incapable d'établir celui de la fille. Celui-ci ne pourrait s'établir qu'avec le Père présent. Or, le Père actuel, même s'il aime ses enfants, ne s'en occupe guère (5 mn par jour) comparativement à la mère (3 h) et les nouveaux pères qui partagent les tâches éducatives avec leur femme ne sont pas légion... Il n'y a que 5 % d'hommes qui exercent la fonction paternelle.

Vous parlez de fonction paternelle, alors que l'on parle d'habitude de rôle paternel, quelle est la différence ?

La différence est importante. Le rôle de père se résume à certaines obligations bien connues de tous : donner son nom à ses descendants et assurer leur vie quotidienne par son travail. La fonction paternelle est beaucoup plus une charge individuelle vis-à-vis de l'enfant qu'une obligation sociale : il y a actuellement des tas d'hommes qui assurent le rôle de Père, mais en évitent la fonction affective qui est d'aimer l'enfant en le paternant, c'est-à-dire en s'occupant de lui moralement et physiquement. Ils pensent, et cela leur simplifie l'existence, que la mère suffit à l'enfant.

Autant le rôle est une obligation sociale, autant la

* *Les Enfants de Jocaste*, Denoël, 1980.

fonction est une responsabilité affective, dont beaucoup d'hommes n'ont pas encore saisi l'utilité pour l'enfant de quelque sexe qu'il soit. Car chaque parent, comme nous l'avons dit, étant investi d'une fonction auprès de l'enfant, le père est « modèle » pour son fils et « partenaire œdipien » pour sa fille, de même que la mère est « modèle » pour sa fille et « partenaire œdipien » pour son fils.

Et que dire alors de toutes ces familles monoparentales, où l'enfant n'a qu'un seul parent à disposition?

Ce fait n'apparaît ni comme une anomalie ni comme un handicap dans la situation actuelle, car nous sommes encore dans le cas d'une famille, qui sous des dehors paternalistes, est le lieu le plus assuré du matriarcat. Que le règne de la mère soit évident, comme dans la famille monoparentale la plus fréquente, ou dissimulé, par la prétendue présence-absence d'un père qui abandonne l'éducation des enfants à la femme, où est la différence pour l'enfant? Il a toujours affaire à une femme dans les deux situations.

Mais le jour où l'homme aura compris que pour le bien de son fils et de sa fille, il est bon qu'il soit « présent » et « paternant », la famille monoparentale ne sera plus équivalente à l'autre. Elle sera vue comme elle est : c'est-à-dire le lieu où on ne peut faire que de l'Œdipe ou que de l'identification, mais pas les deux à la fois, puisqu'il manque un des deux parents pour structurer l'enfant, et je viens d'expliquer à quel point chaque parent a une fonction spécifique et irremplaçable. Je me demande même comment on a pu vivre si longtemps avec l'idée que la femme était détentrice de tous les sentiments nécessaires à un enfant, sous prétexte sans doute que pendant neuf mois « elle » avait été nécessaire et forcément suffisante.

Mais, dans ce que vous dites, ce qui me surprend c'est que finalement chaque parent est nécessaire, non pas pour ce qu'il FAIT, mais pour ce qu'il EST : homme ou femme, l'effet paraît totalement différent?

Oui, pour le psychanalyste ce qu'on EST dépasse de beaucoup de qu'on FAIT, car ce qu'on FAIT est le plus souvent réfléchi et voulu consciemment comme le mieux, mais il n'y a pas que cela qui passe : avec l'enfant, qui a lui aussi son petit ordinateur inconscient, ce n'est pas toujours ce qui est dit ou fait qui s'enregistre mais ce qu'on ne dit pas, ce qui n'a pas de mots pour se dire. L'amour œdipien *ne se dit pas.* Quels mots pour dire : « Pour moi ton père ou pour moi ta mère tu es UNIQUE. Tu es comme moi puisque descendant de moi, et différent de moi puisque de sexe différent. Il me semble que tu auras tout ce que j'ai, plus tout ce que je n'ai pas... » Qui peut dire cela à un enfant?

Effectivement!

C'est pourtant cela que perçoit l'enfant, à travers soins journaliers et alimentation. L'enfant ne reçoit pas, de celle ou de celui qui les lui prodigue, que de la nourriture ou que des soins. Il en reçoit des sentiments et tout ce qui passe par la communication invisible et inconsciente entre le corps de celui qui donne et le corps de celui qui reçoit : de cette communication font partie les sensations épidermiques, les odeurs, l'expression du visage, le ton de la voix, etc.

C'est pour cela que dans *Les Enfants de Jocaste*, j'avais parlé de l'importance de la main qui donne le biberon car au-delà de la main il y a les pensées qui sont bien différentes d'un être à l'autre, d'un parent à l'autre... Que l'un des deux parents, le père le plus souvent, compte sur l'autre pour le représenter est une attitude aussi naïve qu'irréaliste. Car le jour où la femme ne pense pas de bien de son mari, le message qu'elle émet et que reçoit l'enfant ne peut être que du type : « Un mauvais homme pour moi, tel est ton père... » On ne peut pas gouverner l'inconscient de la mère et ne lui faire éprouver que des sentiments positifs vis-à-vis de son homme ! C'est pour cela que l'histoire du « Nom du Père » inventée par les psychanalystes est une gigantesque escroquerie. Et le Père s'en autorise pour s'éclipser en toute bonne conscience.

Que voulez-vous dire? Et de quoi voulez-vous parler?

Le Nom du Père est une notion derrière laquelle la plupart des psychanalystes se retranchent pour faire accepter socialement et familialement l'absence du père auprès de l'enfant : il suffirait que le père soit « introduit » dans la vie de l'enfant par le discours de la mère. Et le tour est joué. Le père ainsi n'a pas à prendre une place réelle, concrète, dans la vie du très jeune enfant.

De plus, la place qui lui est ainsi accordée – une place d'absent, une place de Nom! – est délimitée par la mère, puisqu'il n'est jamais que *celui* dont elle parle. Si l'enfant a des difficultés relationnelles avec son père, c'est la femme qui en sera tenue pour *responsable* puisque la relation au père s'est construite à travers elle et son discours.

Quelle femme pourrait parler correctement de celui qu'elle n'EST pas? Les femmes devraient comprendre qu'elles ne peuvent pas, à elles seules, être tout, tout représenter de ce qu'il faut à un enfant. Quoi qu'elles puissent faire et dire, même dans le moins mauvais des cas, l'absence de l'homme ne peut que s'inscrire comme absence du père ou Père-absent dans l'inconscient de l'enfant.

C'est pourquoi l'homme est celui dont on rêve, et notamment comme antidote quand les choses vont mal entre la mère et l'enfant. De là, plus tard, l'amour inexplicable de la femme pour l'homme, même quand il se sert d'elle, la maltraite ou l'exploite : en tant que rêve, il a toujours été mieux que la mère et sa réalité. Dans l'inconscient de la femme, il reste toujours ce qu'il y a de mieux et en tout cas mieux que la mère.

Alors le « nom du père » ça ne peut pas rendre un père à l'enfant qui n'en a pas ?

Non, c'est tout juste bon à le faire rêver à propos de ce père qu'il met à une place « idéale » puisque la réalité n'est pas là pour le démentir. D'ailleurs on ne parle que des absents. Si la mère décidait de ne plus élever l'enfant et de le laisser au père, il parlerait lui aussi du nom de l'Autre (qui ne serait pas là) et l'enfant idéaliserait alors sa mère.

A votre avis ce n'est pas bon de rêver son parent comme il n'est pas ?

Non, car l'enfant s'habitue à substituer son rêve à la réalité et il ne pourra que souffrir quand il constatera combien ce qu'il a rêvé est éloigné de ce qu'il trouvera. Tout l'effort éducatif consiste, au contraire, à mesure qu'on grandit, à apprendre à voir les choses telles qu'elles sont et non telles qu'on les voudrait. L'enfant doit se débrouiller avec les parents qu'il a, mais encore faut-il qu'il en ait ! Il est mauvais pour la fille de rêver son père, car son image intérieure de l'Homme devient synonyme de Celui-qui-va-obturer-tout-Manque. La déception plus tard devant la réalité de l'homme sera d'autant plus grande qu'il avait été mis plus haut.

Si je me bats contre l'éducation par les femmes, c'est parce qu'elle engendre chez le petit garçon comme chez la petite fille la survalorisation de celui qui Manque, à savoir l'Homme, et que cela a de graves conséquences sur l'entente future entre hommes et femmes adultes.

Vous voyez bien que l'homme jouit d'emblée d'un préjugé favorable auprès des hommes comme auprès des femmes. C'est qu'on l'a toujours imaginé, donc embelli et idéalisé. Les enfants ont du mal à dire QUI et COMMENT est leur père, alors qu'ils savent parfaitement parler de leur mère qui est avec eux, qui s'occupe d'eux, dont ils dépendent, le plus souvent et le plus longtemps. D'elle, ils ne rêvent pas. Elle, ils n'ont pas à l'imaginer. Chaque enfant connaît sa mère... Et rêve de son père qu'il voit peu. La séparation d'avec le père est la loi de la plupart des couples divorcés (81 % des enfants de parents divorcés vivent avec leur mère; enquête INSEE 1985) * et dans les couples vivant ensemble, l'absence du père est la réalité la plus fréquente, avec peu de temps journalier consacré aux enfants. Ce peu de temps passé avec l'enfant ne permet pas au père d'assumer sa fonction paternelle, et c'est avec l'accord de la loi, de la médecine, de la société tout entière que la femme assure à 90 % la charge réelle de l'enfant.

Cela étant valable pour filles et garçons sans distinction.

Mais, d'après vous, cela ne date pas d'aujourd'hui, et les femmes n'ont pas attendu le divorce pour prendre le pouvoir éducatif.

En effet. Il semble que les femmes n'aient pas compris (peut-être ne le leur a-t-on jamais expliqué) que la misogynie dont elles font l'objet continuera à habiter secrètement le cœur des hommes et des femmes tant que l'adulte responsable de l'enfant sera *exclusivement* une femme.

Que veut l'enfant dès son plus jeune âge, sinon manifester sa propre volonté face au désir de l'autre en s'opposant à lui? Donc tous les enfants, filles ou garçons, débutent l'affirmation de leur personnalité par la contestation du pouvoir de la femme.

En ce qui concerne la petite fille, elle se trouve dans une position singulière car, en s'opposant à la femme – sa mère qui a pour elle un projet de féminité bien établi –, elle s'oppose de ce fait à l'image même de la féminité, ce qui va compliquer terriblement son évolution vers l'« ÊTRE FEMME ». Si le père n'est pas là pour la réconcilier avec sa féminité par le biais de l'hétérosexualité, elle ne pourra, au mieux, qu'être AMBIVALENTE avec les femmes et la féminité, ambivalence que nous connaissons bien : il n'y a

* « Enquête sur les situations familiales » dans *Population et avenir*, n° 587.

pas que les hommes qui refusent d'élire les femmes... Mais ce n'est qu'aux femmes que l'on suggère de se montrer femme-femme, ou plus femme que nature!

Vous pensez que ce que vit la fillette dans son enfance avec sa mère va diriger par la suite toute sa façon d'être?

Je le pense en effet et je vais vous dire pourquoi, car on ne peut rien inventer à propos d'inconscient. Si les paroles, entendues dans la vie ou sur le divan, ne me poussaient à tenir pour juste ma déduction, je n'oserais pas m'engager aussi fondamentalement dans ce que je crois être l'origine de la structure féminine.

Un jour que j'étais à Paris au milieu de cent femmes venues pour réfléchir à leur condition de femme, j'ai eu la surprise de voir en fin de journée toutes dissemblances se réduire entre elles, toutes inégalités disparaître, pour en arriver à une seule formulation acceptable par toutes : leur mère, tout ce qu'elles pouvaient en dire, c'est qu'ELLE les avait ENFERMÉES dès le départ. Elles étaient cent, d'âge différent, de milieux différents, mais elles étaient toutes d'accord sur une chose : leur mère les avait enfermées... avec quels mots? A l'intérieur de quelles barrières? A l'aide de quels moyens? Elles ne pouvaient pas trouver de mots pour expliquer ce phénomène, donc il était sûrement question d'INCONSCIENT. Leur mère les avait ENFERMÉES de façon inconsciente par l'intermédiaire de ses propres rêves touchant à la féminité. Elle avait dit « il faut ceci pour être une fille » et « il ne faut pas cela »...

Mais n'est-ce pas bien? Et n'est-ce pas cela l'éducation d'un enfant?

Si c'est le devoir des parents de fixer des limites à leurs enfants, il faut que ces limites relèvent de la commodité à vivre en société, et non de l'incommodité à vivre des parents. Je m'explique : si votre enfant devient le lieu de vos rêves « irréalisés », il ne sera plus « lui » mais « vous » en train de vous rééditer sous une autre forme.

Ne faisons-nous pas les enfants pour cela justement?

Non, nous faisons l'enfant comme une création nouvelle, issue de père et mère différents, allant vers un être tout à fait inédit et c'est ainsi que les choses sont ressenties avant la naissance. Mais l'enfant étant là, il arrive souvent que le parent de même sexe que lui se mette à s'identifier à lui, ce qui s'appelle en jargon analytique « se projeter dans son enfant », et de ce fait prenne continuellement la place de cet enfant qui alors perd la sienne propre, pour se conformer à celle qui lui est assignée et hors de laquelle il n'est pas « reconnu » comme satisfaisant. Vous savez que c'est plus souvent l'histoire de la fille que celle du garçon, tout simplement parce que c'est la petite fille qui est pour sa mère l'objet du rêve « idéal de femme ». Le garçon a une place œdipienne et ne peut à aucun moment représenter pour la mère « celle qu'elle aurait dû être »...

Donc l'éducation des filles par les mères est en partie responsable du fait que la fille, puis la femme, a comme comportement principal celui de tout faire, *apparemment,* pour être acceptée par les autres... L'habitude a été contractée dans la prime enfance avec la mère.

Ce que vous dites paraît extrêmement grave pour les femmes qui, sans le secours ou la contribution du père œdipien, paraissent tomber immanquablement dans l'obligation de « convenir » à la mère, puis à tous les « autres ».

C'est tout à fait cela : la fille s'avance généralement dans la vie en tâchant le plus possible de se conformer au « rêve identificatoire » de sa mère et plus tard la femme ne sera jamais plus heureuse que lorsqu'on lui dira qu'elle PLAÎT.

La vie d'une petite fille qui vit uniquement avec sa mère se résumerait-elle à faire ce que maman veut? C'est souvent en tout cas ce qui a fait trébucher les femmes qui se trouvent en analyse chez moi, car voici ce qu'elles disent :

« J'ai l'impression qu'à *travers moi*, c'est elle qu'elle voyait... »

« Ma mère m'a empêchée d'être, il fallait que je sois ce qu'elle *voulait,* c'est tout. »

« C'est comme si elle avait dit : " Ta vie ne sera pas la tienne ". Ma vie serait la *sienne.* »

« J'ai été ce qu'elle *voulait* que je sois, et maintenant je ne sais plus qui je *suis* moi-même... »

Le risque des femmes est bien là. A force de se conformer au désir de la mère, la fille oublie d'écouter le sien, elle l'empêche d'émerger. Elle ignore quel il pourrait être, ce qui finit par poser un singulier problème *d'identité* au sein du couple où la femme se propose souvent elle-même comme esclave du désir de l'autre. A la limite, on peut se demander si le désir de la femme n'est pas devenu celui de l'Autre en général... Mère, mari, enfants qui ont tour à tour pouvoir de la faire tenir sur la tête et marcher sur les mains, puisque son bonheur passe par celui des autres.

Pour vous, tout ce qui est dit « féminin », dans le sens de plaire aux autres et de se dévouer ou de se sacrifier à eux, est donc une sorte de névrose, acquise par la petite fille auprès de sa mère?

Oui, absolument, il en est ainsi à cause de l'inconscient de la mère, qui n'est pas toujours celui d'une femme épanouie et heureuse et compte souvent sur sa fille pour être « ce qu'elle n'a pas été ». La fille est alors « pleine » du projet de sa mère et « vide » de projet personnel : on dit d'elle qu'elle est une petite fille « sage », mais en fait elle est en train de devenir la chose de l'AUTRE et, ce qui est pire, elle s'habitue à taire son propre désir et à cacher sa colère. Plus une petite fille est sage, plus elle est appréciée des adultes, mais la sagesse n'est pas l'état naturel de l'enfant, elle n'est que le moyen de satisfaire la mère...

La colère pourrait déclencher le rejet maternel c'est pour cela que la petite fille et par la suite la femme la laisse dangereusement s'accumuler à l'intérieur d'elle-même.

*Mais comment la mère s'y prend-elle de si bonne heure
avec son bébé-fille?*

L'enfant, comme nous le savons, est dès sa naissance
« dépendant » de l'amour de ses parents qui est aussi
essentiel pour son inconscient que la nourriture pour son
développement physique. Il va donc se mettre naturellement en position d'être le plus aimé possible ou « la plus
aimée » puisque nous parlons de la fille. Et si, pour être
aimée par la mère, il faut passer par ses désirs, la fille y
passera.

Si, pour être dans le cœur de sa maman, la petite fille
doit se réduire à l'image féminine intérieure que porte
inconsciemment sa mère, elle va la plupart du temps
obtempérer, du moins en apparence et même sans résis-
tance car, à cet âge, il est vital pour l'enfant de vivre en
bonne « intelligence » avec ses parents. Ainsi la mère va
pouvoir aisément réaliser dans la personne de sa fille son
projet idéal de femme adulte : elle sera jolie, gentille, ser-
viable...

Pour ce qui est de la beauté, la femme va commencer
très tôt à mettre en valeur le corps de sa petite fille, avec
de jolies coiffures, des petites robes amusantes, des cou-
leurs gentiment assorties, de sorte que chacun, voyant ce
ravissant objet, s'écrira et à juste titre : « Oh! comme elle
est mignonne! » Ainsi s'inscrit dans l'inconscient du bébé,
dès les premiers temps, que l'extérieur peut déclencher un
« plus d'amour » chez les autres, et cela va figurer comme
l'un des premiers engrammes du logiciel féminin. Plus
tard, quand la petite fille fera quelque chose de mal, sa
mère ou sa grand-mère lui diront fréquemment : « Oh!
Comme tu es laide, comme tu n'es pas belle! » adjectifs
qui renvoient l'enfant non à une loi morale, mais à une loi
esthétique.

C'est de très bonne heure, dans la vie de la petite fille,
que beauté et sagesse sont présentées comme des repères
féminins, alors qu'elles ne sont que valeurs inculquées par
l'entourage lors de la formation de l'inconscient du bébé-
fille. Ce ne sont pas des qualités innées comme on pourrait
le croire mais des valeurs recommandées aux filles.

Je n'avais jamais prêté attention à cela... Il est exact que j'ai toujours préféré dire à ma fille qu'elle était « laide » plutôt que « méchante »...

Ni l'un ni l'autre d'ailleurs n'exprimait la réalité de votre enfant qui était sans doute « en colère ». La colère... Voilà un mot que les parents n'emploient pas volontiers. Ils voudraient ignorer l'existence de l'agressivité et de la colère qui sont pour eux des sentiments condamnables, alors que ce sont les antagonistes des sentiments d'amour et que l'homme, dès le début, est tout aussi capable d'AIMER que de HAÏR, c'est sa première loi. Ce sont des choses tellement élémentaires pour les psychanalystes qu'ils s'étonnent que les parents ne les connaissent pas.

Mais continuons l'histoire de la mère et de la fille. Après la beauté, on va demander à la petite fille la gentillesse, c'est-à-dire l'art de savoir renoncer à son désir. On demande plus d'obéissance à une fille qu'à un garçon, pourquoi? A cause de stéréotypes ancestraux et patriarcaux qui stipulent chez la femme douceur et soumission. Si vous ne me croyez pas, ouvrez un journal d'annonces matrimoniales et regardez comment est formulé le rêve habituel de l'homme : une femme, douce, affectueuse, éventuellement intelligente ou plutôt cultivée, et bonne maîtresse de maison... ça marche toujours le servage sous forme de mariage.

Quant à la serviabilité, elle s'acquiert sans problème. Si l'enfant est éduquée par la mère, elle l'imitera très naturellement en tout, l'imitation étant la première forme d'identification choisie par l'enfant. Pour peu que la mère ait la haute main sur la vie de la maison, sa fille sera amenée très vite à faire semblant de laver, essuyer, frotter, préparer des gâteaux, avant de le faire « pour de vrai ».

La mère n'en demande-t-elle pas autant à son fils?

Non, car grâce à l'amour œdipien qu'elle a pour lui, elle l'aime sans conditions, *tel qu'il est;* sa différence sexuelle lui suffit comme récompense de l'avoir fait. Ce n'est qu'à la *fille* qu'elle demande de remplir le stéréotype « femme ». Et qui plus est, elle croit bien faire en agissant ainsi, alors qu'elle ENFERME sa fille et en fait l'OBJET de ses ambitions.

Un père peut-il faire la même chose de son fils, s'il le charge lui aussi de vivre « mieux » que lui ?

Absolument ! Que de futurs médecins, polytechniciens, énarques, se sont retrouvés globe-trotters, drogués ou gardiens de chèvres dans l'Ardèche pour avoir dû tourner le dos au fantasme paternel ! Le père peut entraîner le même phénomène d'inexistence avec son fils, surtout si sa voix est prépondérante dans la famille. Mais les garçons ont la chance, ou la malchance, que leur père se tienne assez loin d'eux durant l'enfance pendant la formation inconsciente et que l'Œdipe avec la mère domine le tableau pendant toutes les premières années. Il reste que le petit garçon traité de « poule mouillée » par son père est aussi dévalué affectivement que la petite fille traitée de « garçon manqué » par sa mère. Que de « garçons manqués », c'est-à-dire de petites filles ne correspondant pas au schéma de leur mère, sont venues chez moi verser des torrents de larmes, pour ne pas avoir été appréciées dans leur enfance ! Que de petites filles vigoureuses et opposantes au désir de la mère se sentent sur le moment coupables de trahison envers cette mère, et à l'adolescence se transforment en femmes phobiques, qui ont surtout peur de ne pas plaire aux autres ! Même chez moi, elles prennent d'énormes précautions pour ne pas me déplaire. Je les reconnais à certains petits mots innocents du genre : « si vous voulez » ou « disons que ». Elles s'efforcent toujours de me mettre « avec » elles, craignant tout de moi et de mon désir. Toutes leurs périphrases sont destinées à empêcher l'apparition d'une quelconque divergence entre elles et moi, afin d'éviter de retomber dans le conflit infantile avec la mère et je sais que dans la vie elles se conduisent de même !

Comment? Vous analysez ces petits mots qui jalonnent le langage de chacun de nous? Ne craignez-vous pas d'aller trop loin dans votre interprétation?

Non, car l'analyse se fait au travers de toutes petites phrases passées inaperçues par l'individu lui-même. N'oubliez pas que l'inconscient ne se dévoile pas quand on le guette. Ces petits mots laissés là sur le divan en disent souvent plus long que des heures de ratiocination parfaitement consciente. Ce n'est pas pour rien que les femmes parlent si souvent chez moi de « leur » vide, chacune se croyant unique à éprouver « l'horreur de n'avoir rien à soi ».

Mais ne peut-on empêcher cela entre mère et fille et une mère ne peut-elle pas laisser la liberté « d'être » à sa fille?

Non, c'est comme si vous demandiez à chaque individu prêt à aimer et s'engager avec un autre de passer un examen préventif garantissant son bon état névrotique. On ne sait pas quelle mère va « driver » sévèrement l'inconscient de son enfant-fille. Ce qu'on peut faire, c'est ce que je fais aujourd'hui avec vous, c'est examiner les dangers que peut présenter une mère, plaider pour qu'elle ne soit pas toujours la seule à élever sa fille, faire comprendre qu'elle doit être compensée par un homme qui aimera l'enfant « œdipiennement » c'est-à-dire autrement, *pour son état de fille,* simplement, et sans demander tout le manège que demande souvent une mère.

Comment être assuré que le père aime « œdipiennement » sa fille?

Mais c'est la loi naturelle! L'attirance sexuelle n'est jamais absente chez un être humain adulte. D'autre part, un homme ne peut pas demander à une petite fille de le

« remplacer » dans sa vie d'homme même si elle est manquée.

Oui, mais sous prétexte d'aimer « œdipiennement » leur fille, vous savez comme moi qu'il y a des pères qui vont jusqu'au bout de leurs désirs avec leur fille?

Ces pères-là effectivement aiment sexuellement leur fille, mais ils se sont tenus tellement loin de l'éducation de l'enfant qu'ils n'ont même pas l'âme parentale... Ils ignorent tout du fait que la sexualité de l'enfant n'appartient à aucun de ses parents, même si cette sexualité les tente. Combien de mères, si elles n'avaient pas d'abord le sens de leurs responsabilités parentales, ne préféreraient sexuellement leur fils à tout autre homme? Mais voilà, les femmes en tant que mères connaissent l'interdit de l'inceste, alors que certains pères ne le connaissent pas.

Tout corps d'adulte qui s'occupe d'un enfant représente toujours une certaine force libidinale auprès de l'enfant. Les deux parents devraient savoir qu'au-delà du change et de l'âge du change, le corps de l'enfant est « privé » et ne doit pas être touché sexuellement. Je ne vois là rien de différent entre hommes et femmes, sinon que les femmes ont été « enseignées » en tant qu'éducatrices tandis que les hommes ne l'ont pas été... Mais s'ils veulent participer à l'éducation de l'enfant, il faudra bien qu'ils en apprennent les lois.

Comment la loi de l'inceste s'inscrit-elle au cœur des femmes et non au cœur des hommes?

Parce que la mère, en tant qu'unique amour de son fils, a toujours dû répondre à la première demande œdipienne de son fils « maman, quand je serai grand, est-ce qu'on pourra se marier? » et que la réponse, évidemment, a été négative, alors que le père, étant absent de l'univers de la petite fille, n'a pas eu droit à la question, et n'y a par conséquent jamais répondu, ni pour elle ni pour lui... La fillette rêve plus souvent de prince charmant que de papa incestueux parce que l'Œdipe ne se vit pas entre le père et la fille et qu'il s'en tient lui, à l'absence et elle, aux rêves. En revanche, la mère et le fils doivent aller jusqu'au bout de leurs désirs pour s'apercevoir qu'ils sont irréalisables. C'est finalement cela être parent sur le plan sexuel, c'est « barrer » son corps au désir sexuel et accepter non pas la sexualité, mais la seule sensualité.

Mais s'il n'y a que sensualité de la part des parents, pourquoi un parent n'est-il pas remplaçable par l'autre? Tous les parents font de la sensualité avec leurs enfants.

La sensualité est en effet une chose que les deux parents peuvent vivre avec l'enfant, mais seule la sexualité « barrée » peut établir dans l'inconscient de l'enfant qu'il a un corps « désirable » pour quelqu'un. C'est là que la mère est irremplaçable pour son fils, comme le père est irremplaçable pour sa fille.

C'est le désir « barré » du parent qui crée le lien œdipien précédant tout autre lien hétéro-sexuel à venir. Ce lien précoce œdipien étant rarement présent, nous l'avons vu, dans la vie de la fille élevée par sa mère, il faut remarquer que la fille n'aura pas eu l'occasion de sentir son corps « bon » pour l'autre jusqu'à ce qu'un garçon la prenne dans ses bras. Elle y croira si peu qu'elle demandera au garçon ce qui l'attire plus particulièrement dans ce corps. Le pauvre garçon en restera coi. C'est le corps tout entier qui éveille son désir! La femme n'en a pas fini d'étonner l'homme avec ses questions : « Tu m'aimes mieux avec cette robe ou avec celle-là? », comme si elle restait persuadée que son corps ne peut être désiré qu'à cause d'autre chose...

Ces mots que n'a pas dits le père, resteraient-ils le lieu de la panne féminine? L'endroit où l'on retrouve toujours la femme : « Dites-moi pourquoi vous m'aimez... », c'est-à-dire : « Réparez l'absence désirante de mon père au stade oral... »

Que vient faire ici le stade oral ?

C'est là que l'enfant débute sa relation de corps et de désir avec ses parents. Le nouveau-né a des besoins, des désirs, des demandes et ses parents sont là pour y répondre. Ils le nourrissent, le changent, le lavent, le tiennent au chaud. Mais aussi, car ses besoins ne sont pas seulement d'ordre physique, ils lui sourient, lui parlent, le bercent, le désirent inconsciemment – eh oui! Tout cela fait partie du bien-être de l'enfant. Il doit sentir qu'il a sa place bien à lui dans cette famille (il a été désiré et attendu) et sa place œdipienne auprès d'un parent. Il est aimé, reconnu comme l'enfant du couple et apprécié dans tout son corps, y compris le sexe. Inconsciemment, tout cela s'inscrit en lui dès les premiers jours, alors même qu'il semble n'avoir qu'une seule jouissance, celle de téter.

Il faut dire que la jouissance de téter est la plus forte à ce moment-là, car c'est elle qui fait disparaître le vide intérieur rencontré à la sortie du ventre maternel. La période de cette rage orale à se remplir, à rétablir le plein et qui va durer environ un an, a été nommée par Freud *le stade oral*.

Même plus tard, lorsque d'autres besoins se feront sentir, la réponse des parents sera toujours double. Ils sont là, avec leur conscient et ils donnent à l'enfant ce qu'il attend, plus autre chose : de l'inconscient. Ainsi l'enfant, au cours des soins du premier âge, intègre peu à peu ce qu'il y a d'écrit au fond de chacun de ses parents. C'est là le dialogue inconscient premier, celui qui dès lors accompagnera toujours « invisiblement » le dialogue avec les mots.

Derrière ce que nous disons, il y a toujours « autre chose » de plus affectif qui ne se dit pas, mais que notre corps peut trahir : une certaine rougeur sur le visage, une façon de parler en avançant ou en reculant, une main crânement posée sur la hanche ou sur la poignée de la porte, comme pour partir... Car nos mains dévoilent sans arrêt ce que nous cachons : mains ouvertes offrantes, mains fermées refusantes, poing serré qui retient la colère. Tout notre corps parle, au point que le déchiffrement en est devenu, c'est selon, passe-temps mondain ou discipline plus ou moins sérieuse : science du maintien, signification des gestes, tests amusants pour les vacances...

Nous continuons à nous tenir de telle ou telle manière, à croiser les bras de telle autre, comme il est inscrit en nous : ainsi répondions-nous à nos parents quand nous n'avions pas les mots à notre disposition. Maintenant, le geste s'est joint à la parole ou, pour parler plus justement, la parole s'est surajoutée au geste. Le geste est premier. C'est avec le corps que nous avons d'abord communiqué. Demander, refuser, accepter, l'enfant le fait avec son corps : s'il ne veut pas de biberon, il détourne la tête; s'il a faim, il cherche le sein avec sa bouche; s'il a envie de votre présence, il commence à trépigner de joie à votre approche et, si vous l'attrapez, vous sentez tout son corps qui se tend vers vous; de même, s'il ne veut pas être saisi par une personne inconnue, il se raidit au fond de son berceau. A cette époque de la vie *nous ne saurions mentir*, notre corps dit la vérité absolue de ce que nous sentons.

Dès les premiers mois de notre vie, pendant le stade oral, sans pensée logique et sans mots, nous exprimons nos désirs, par le corps uniquement.

C'est pourquoi le corps reste le repère de la vérité « inconsciente » de chacun de nous. Nous avons beau faire des discours, notre corps lui, dit parfois tout autre chose, comme le montrent les lapsus, les oublis, les bévues. Une femme m'ayant rendu visite de façon charmante se lève pour prendre congé et me dit : « Au revoir, je suis très contente de *ne pas* être venue vous voir. » Elle n'a pas entendu son erreur verbale, mais j'ai su à quoi m'en tenir sur sa visite forcée.

Comment savoir si l'inconscient de notre enfant fait bon ménage avec le nôtre?

En observant le langage du corps : si votre enfant mange avec appétit, s'il dort bien, s'il ne pleure que pour demander, s'il trépigne en vous entendant arriver, s'il se

laisse aller dans vos bras, sans doute le dialogue secret
entre lui et vous est-il BON. Mais si bébé pleure beaucoup,
s'alimente peu ou mal, ne grossit pas, se raidit quand vous
le prenez, toute hypothèse médicale étant écartée, peut-
être votre enfant est-il en train de constituer une réponse
négative corporelle à ce que vous voulez.

Le dialogue entre inconscients marche d'emblée entre
êtres humains et double les gestuelles du parent et de
l'enfant. C'est pourquoi en cas de difficulté, il vaut mieux,
pour être efficace auprès de l'enfant, tenter un changement dans l'inconscient du parent, inconscient qu'on peut
percevoir chez lui à travers certains mots. Devant un
comportement de refus de la part de l'enfant, les parents,
en effet, ont intérêt à consulter quelqu'un qui les aide à
comprendre ce que « secrètement » ils veulent, eux, au-
delà des mots. La prise de conscience de « leur » attente
secrète pourra entraîner chez eux un changement profond
auquel l'enfant répondra, comme il répond toujours à
toute demande de ses parents, *avec son corps*.

Nous touchons ici à la compréhension du langage psycho-somatique de l'enfant. Celui-ci, mis devant une situation « inconsciente » inconfortable et impossible à exprimer, peut développer une maladie : rhino-pharyngite,
gastro-entérite, fièvre atypique, poussée d'eczéma, crise
d'asthme. Toutes ces maladies du jeune enfant signalent
un climat psychologique difficile entre lui et ses parents.
Ce sont d'ailleurs ces mêmes maladies que l'on retrouvera
dans la vie de l'adulte chaque fois qu'il se sentira impuis-
sant à dominer une situation angoissante pour lui. Tomber
malade est souvent une échappatoire proposée par le corps
pour protéger l'esprit d'un mal infiniment plus grave.

Un enfant qui refuse de se nourrir manifeste clairement
qu'il refuse ce que veut sa mère : aussi bien sa demande
consciente « prends donc ce biberon, je veux que tu
vives », que sa demande inconsciente « je veux que tu vives
pour remplacer ce que je n'ai pas été ». L'enfant refuse
parfois le biberon parce qu'il le perçoit « inconsciemment » sur sa chaîne primaire secrète comme *autre chose*
qu'une simple nourriture destinée à son propre plaisir. La
fille, puisque c'est elle qui présente électivement des diffi-

cultés d'alimentation, en s'opposant à la nourriture de sa mère, s'oppose en même temps à son « rêve identificatoire », celui-ci cherchant à mettre l'enfant à une autre place que la sienne propre. Si la fille présente plus de difficultés au stade oral que le garçon, c'est sans doute parce que sa mère veut lui faire « intégrer » une certaine image « contraire à la liberté intérieure » dont l'enfant a besoin pour se développer. Le garçon n'a pas les mêmes difficultés : sa mère ne lui présente intérieurement aucun schéma de l'homme puisqu'elle n'en est pas un.

Ce problème d'une femme élevée uniquement par une autre est un problème qui marque définitivement bien des vies de femmes. Ayant refusé de mettre quelque chose de « L'AUTRE » au centre d'elles-mêmes, elles ont souvent l'impression d'êtres *vides,* aussi bien physiquement que psychiquement, puisqu'au départ les deux choses étaient inséparables dans leur réponse à leur mère. Bien des femmes continuent à ne pas manger ou à vomir pour rester « vides » du désir de la mère comme au départ, bien plus encore mangent continuellement ou énormément pour annihiler le « vide » intérieur qu'elles ont ressenti dès le début de leur relation avec la mère.

Somme toute, les difficultés des premiers mois nous suivraient toute notre vie?

Oui. Une petite fille « anorexique du biberon » quand elle a six mois a de grandes chances d'être une femme « frigide » et refusant le sexe de l'homme quand elle aura vingt ans!

Je puis vous assurer avoir reçu dans mon bureau de jeunes frigides de trois ans! Refusant déjà tout ce qui venait de l'autre. Elles avaient appris à se méfier du désir de l'autre en refusant le désir de leur mère. Ces petites filles n'avaient qu'une réponse chevillée au corps : NON!

Tout dans leur attitude aussi bien leur mutisme que leur refus de collaborer, signifiait qu'elles avaient appris à se protéger de la demande émanant de l'Autre... Ce jour-là j'étais cet Autre puisque c'était leur mère qui les avait conduites chez moi.

N'est-ce pas impressionnant d'apprendre qu'un enfant très jeune peut déjà être en opposition définitive avec nous, sans que nous en connaissions la raison?

La raison est en effet tout à fait invisible aux yeux des parents, puisque émanant de leur inconscient. Le plus souvent, le biberon est refusé au nom des fantasmes maternels qui l'accompagnent et qui demandent à l'enfant d'être « heureux » à la place de sa mère... qui a été elle-même une enfant malheureuse... et qui est aujourd'hui une mère prête à tout pour revivre une enfance heureuse *à travers sa fille*.

D'ailleurs, la fille n'a-t-elle pas trouvé le moyen le plus direct de refuser ce bonheur à sa mère en lui refusant la nourriture ? La mère dit, désolée : « Elle ne *me* finit pas les biberons. » Les parents comprennent, mieux qu'ils n'ont conscience de le faire, la réponse que le langage du corps de l'enfant donne à leur désir. Ne disent-ils pas à propos d'une maladie de l'enfant qu'elle était dirigée contre eux : « Il *nous* a fait 39° ce soir-là », comme si l'enfant avait eu de la fièvre pour les mettre en difficulté ? L'enfant paraît, dans certains cas de maladies psycho-somatiques, jouer avec les nerfs de ses parents.

Souvent le petit rhume, la petite fièvre, tombent à un moment où les parents prenaient un peu de liberté personnelle, comme si l'enfant voulait à toute force les garder près de lui. Quant aux maladies prétendument attrapées à la crèche ou à la maternelle, elles signalent, la plupart du temps, un changement psychologique important pour l'enfant.

Cependant, pour ne pas vous décourager dans votre difficile rôle de parents, je puis vous dire qu'un enfant qui n'aurait jamais de difficultés à affronter ne constituerait aucune défense et se retrouverait bien démuni devant l'adversité qu'il rencontrera forcément dans sa vie un jour ou l'autre.

Nous sommes tous des rescapés plus ou moins heureux d'une enfance plus ou moins difficile. Il est impossible qu'il en soit autrement avec cette espèce de tiers invisible installé entre parents et enfants et qui s'appelle INCONSCIENT.

Freud a été le premier à découvrir ce personnage si important dès l'enfance qui, dans l'ombre, préside à la plupart de nos actes. Il a été aussi le premier à déclarer que le métier de parents faisait partie des métiers « impossibles ».

Vous nous parlez d'inconscient, de Freud, d'Œdipe, donc de phénomènes invisibles pouvant affecter la sexualité de l'enfant, puis de l'adulte, mais l'enfant n'a-t-il pas de vie proprement sexuelle?

La sexualité de départ du bébé est tout à fait polymorphe et ne se tient pas uniquement au sexe. Pendant la période de zéro à quinze mois dont nous venons de parler, tout plaisir passe essentiellement par la bouche. Toute discrimination entre le BON et le MAUVAIS se faisant alors en portant les objets à la bouche, le stade oral décrit par Freud est facilement repérable par la mère elle-même.

Cela ne veut pas dire que l'enfant n'a pas d'autres sensations agréables, auditives, olfactives ou sexuelles, mais elles n'atteignent pas l'intensité de la jouissance « orale » dans les premiers mois. Ce n'est que très progressivement que d'autres zones de jouissance électives vont prendre de l'importance et il faudra attendre l'âge adulte pour que le plaisir sexuel prenne une place de choix. Chez le bébé, les sensations sexuelles sont des sensations comme les autres.

La deuxième zone de jouissance que découvre l'enfant vers quinze mois est la zone anale dont les sensations sont liées au passage des excréments et aux contractions qui les accompagnent (nous verrons que lors des contractions de l'orgasme, ce sont les muscles du périnée, communs à l'anus et au sexe, qui entrent en action). Le système nerveux de l'enfant devenant plus discriminatif lui permet de reconnaître les contractions anales et de les commander : il peut évacuer ou retenir ses selles, ce qui lui donne l'impression d'être pour la première fois maître de sa jouissance. Mais voilà que l'autre prétend lui ravir ce plaisir, en le priant de l'exécuter sur commande. Nous connaissons le petit jeu de l'enfant, obligé de se mettre sur le pot et n'y faisant rien pendant une demi-heure, pour, sitôt reculotté, faire ses besoins tranquillement en nous regardant bien en face, comme pour dire : « tu vois c'est MON plaisir... Pas le TIEN! Si tu savais comme c'est agréable cette chaleur autour du sexe! j'aime tellement ça! » Plus tard, quand la sensation cessera d'être agréable, alors il voudra bien qu'on le change, alors il voudra bien que maman prenne aussi son plaisir à nettoyer ses fesses...

Chose curieuse, la petite fille, parfois si difficile à nourrir, n'est pas du tout difficile à éduquer à la propreté. Elle renonce rapidement au plaisir anal pour gagner l'estime de sa mère. Préférant à toute autre chose la volonté et l'amour de la mère, elle lui fait le cadeau qu'« elle » demande, quitte à devenir VIDE... vide de tout ce qui était son désir, se remplissant du plaisir de l'autre. Vous reconnaissez ici un comportement typiquement féminin : se réjouir du plaisir de l'autre et sacrifier le sien.

C'est curieux comme cette relation primitive mère-fille apparemment si calme est un véritable nœud inconscient qui continue à avoir des répercutions longtemps dans la vie...

Longtemps? Vous voulez dire toujours!

Les femmes qui, sur le divan, me parlent de leur VIDE, me parlent d'une vieille sensation de l'époque orale où, pour refuser les rêves de la mère, elles refusaient tout ce qui venait d'elle et qui serait entré en elles. Elles ont alors senti le vide, pour toujours, sauf quand elles s'alimentent. C'est pour cela que les femmes « grignotent » à longueur de temps, deviennent boulimiques ou anorexiques, à cause d'un vide intérieur impossible à combler aujourd'hui... ou impossible à quitter. Le vide est impossible à quitter pour l'anorexique puisqu'il représente la défense contre les autres, toujours dangereux, comme l'a été la mère avec son rêve. L'anorexique ne peut sans risque éprouver le plein.

Pourquoi est-ce que l'homme ne me parle jamais de ce

VIDE? Parce qu'il ne l'éprouve pas, parce qu'il ne l'a pas connu au stade oral, parce qu'à cause de son sexe sa mère ne pouvait pas lui coller sa vie de femme à recommencer. Les petits garçons ne refusent pas le biberon, ils sont plutôt voraces, pressés de combler le vide de leur estomac!

Boire le biberon avec le père, ce serait peut-être le salut de certaines petites filles. Une fois grandes, peut-être alors ne diraient-elles plus ces terribles mots :

« Au milieu de moi, il n'y a rien... Je suis vide... »

« Je parle, je parle, pour camoufler mon *vide.* »

« J'ai laissé mon corps à ma mère, je n'ai gardé que la tête... »

« Ma mère m'a VOLÉ mon enfance et maintenant je suis *vide.* »

Les femmes se plaignent de l'ennui, de la solitude, de l'incompréhension, beaucoup plus souvent que les hommes, mais il y a longtemps qu'elles sont vides et seules... Alors pour conjurer le mal, elles cherchent à être utiles, à FAIRE des choses utiles aux autres. Les femmes aiment à rendre service. Dans la mesure où elles donnent quelque chose de visible, leur tête leur dit qu'elles ne sont pas vides à l'intérieur. Ah, ils sont compliqués les chemins de la femme qui veut prouver avec sa tête ce qu'elle ne sent pas dans son corps! Mais au lit cela peut-il suffire? Donner quelque chose à l'autre, cela peut-il être une « jouissance » autre que morale?

Les femmes ont souvent là un VRAI problème : leur tête et leur corps ont divorcé depuis trop longtemps, elles n'arrivent plus à recoller leur propre puzzle. Elles n'en connaissent que la moitié... L'autre est restée chez leur Mère. Il faut souvent tout reprendre avec une autre femme analyste pour tenter une autre traversée avec quelqu'un qui ne « demande » pas, qui n'attend pas, qui ne rejette pas.

La femme tente de changer de peau car elle sait depuis longtemps qu'elle n'est pas bien dans la sienne, pas bien dans son corps. Les femmes ne sont bien que dans leur tête. C'est le seul endroit où elles peuvent s'habiter elles-mêmes... Pourquoi leur dit-on toujours le contraire?

Point de vue gynécologique

La petite fille commence sa route de fille le jour même où elle est conçue et où la rencontre se fait entre un ovule maternel et un spermatozoïde paternel. Les chromosomes présents dans l'ovule sont toujours de type XX, alors que ceux présents dans le spermatozoïde peuvent être de type X ou Y. La variation possible de sexe est introduite par le chromosome sexuel Y du spermatozoïde masculin, mais c'est l'ovule féminin qui sélectionne un spermatozoïde parmi tous les autres et, selon cette rencontre, la cellule nouvellement constituée sera de type XX et ce sera le début d'une fille ou de type XY et ce sera un garçon.

Donc dès le premier instant de la fécondation, le sexe de la personne est déterminé, mais il va s'écouler trois mois avant que le tubercule génital n'apparaisse sur l'embryon et ne se développe sous forme de pénis ou de vulve : à quatre mois le sexe de l'enfant peut être connu grâce à l'échographie.

Filles et garçons peuvent naître avec des parties génitales gonflées et turgescentes : c'est « la crise génitale du nouveau-né » due à l'imprégnation hormonale du corps du bébé par les hormones maternelles, crise qui peut donner lieu à quelques gouttes de lait perlant au bout des mamelons de la petite fille. Cet afflux hormonal va s'estomper très rapidement du fait que l'enfant n'est plus en rapport direct avec le sang de la mère.

A la naissance, le corps de la petite fille est complet : vulve, vagin, utérus, trompes et ovaires sont formés à l'état de miniature.

L'entrée du vagin présente une différence avec celle de l'adulte du fait de la présence de l'hymen, sorte de membrane très fine, qui recouvre et protège la partie basse de l'ouverture vaginale. L'hymen présent ou absent permet de faire la différence entre fille vierge et fille qui ne l'est plus : fait encore très important dans certaines cultures au moment du mariage. Dans nos pays modernes la première pénétration, à moins qu'elle ne soit l'objet d'un viol, ne revêt pas une importance particulière...

Il faut noter que, dès sa venue au monde, la petite fille possède dans ses ovaires un capital de quatre cent mille ovocytes ou futurs ovules et que c'est de ce stock de naissance que proviendront tous les ovules menés à maturité au cours des cycles mensuels de toute la vie génitale d'une femme (quatre cents à cinq cents seulement entre 15 et 50 ans).

La vulve de la petite fille étant très riche en terminaisons sensitives, tout ce que font les parents au cours de la toilette du bébé, plusieurs fois par jour, est ressenti comme plaisir sensuel lié aux parents ou à ceux qui s'occupent de l'enfant.

Il suffit de voir la petite fille pédaler vigoureusement sur la table de change, frottant activement ses grandes lèvres l'une contre l'autre, ou le petit garçon présenter son sexe en érection au moment du déshabillage, pour comprendre que le sexe, dès la première année, est un lieu d'excitation considérable. Certaines femmes africaines ne calment-elles pas l'enfant en lui caressant doucement le sexe ?

Ce plaisir sexuel reçu de l'Autre est donc un plaisir **passif** que l'enfant ne sait pas se donner lui-même, et qui dépend entièrement du bon vouloir de l'**autre**.

La seule réaction **active** de l'enfant à cet âge est une réaction **orale** : tout objet qui passe à proximité déclenche le réflexe d'ouvrir la bouche, pour téter ou simplement reconnaître si c'est un objet à téter ou à mordre (quand il a des dents, à partir du 4e mois).

Nous retiendrons :

Pendant la première année orale, la jouissance sexuelle est **passive**. Sur ce point, comme sur presque tous les autres, l'enfant est tributaire de ses parents. Ce sont eux les initiateurs du plaisir de la caresse sexuelle qui deviendra masturbation plus tard.

Ce plaisir n'est pas clairement situé au sexe, c'est un plaisir mélangé à la personne du parent. Jusqu'à 8 mois environ, l'enfant vit ainsi « mélangé » à ses parents : il absorbe tout ce qui vient d'eux, il vit en symbiose avec eux et partage leurs émois. C'est pourquoi les sentiments des adultes autour de ce bébé sont d'une importance capitale. A partir de 8 mois, grâce au développement de ses connexions neuronales, il distingue électivement les personnes proches et refuse toutes les autres : il se distingue lui-même comme seul ou avec une personne aimée. Ne le laissez pas en milieu inconnu à cette époque (de 8 à 12 mois environ), attendez qu'il vous nomme et qu'on puisse lui parler de vous avant de penser à une absence prolongée.

Chapitre 2

Une vie de petite fille

Elle a quinze ou dix-huit mois, elle est indépendante puisqu'elle marche... Tellement indépendante, après avoir été si longtemps esclave des volontés de l'autre, que vous avez parfois du mal à vous faire obéir : tout débute par un non énergique qui, s'il n'est pas prononcé, est exécuté d'un signe de tête. Cependant, la joie d'être avec vous, de FAIRE quelque chose avec vous, la fera le plus souvent abandonner l'opposition qui était surtout mesure de sa propre liberté face à votre demande.

Il y a des petites filles TROP sages, c'est-à-dire qui restent là, plantées à deux mètres de leur mère, triturant dans leurs doigts une mèche de cheveux ou un vieux bout de tissu avec lequel elles vivent. Ce sont celles qui hésitent à quitter le temps du lien symbiotique avec l'AUTRE (le parent). Elles ont tellement peur de perdre le lien qu'elles n'osent pas s'activer, découvrir par elles-mêmes, s'intéresser à ce qui les entoure. Elles en sont arrivées là par la faute de l'adulte qui a privilégié les caresses, la régression et a trop fait sentir sa peur que l'enfant ne se fasse mal : l'enfant a pris l'habitude de ne pas FAIRE et il se contente de regarder les autres FAIRE ce qui est « dit » dangereux pour lui.

A cette époque de la vie de votre enfant, ne vous laissez pas aller à redouter exagérément pour lui les dangers qui le guettent, car vos craintes peuvent engendrer sa PEUR et celle-ci risque d'en faire un enfant éteint, passif, sans curiosité, à l'intelligence endormie, alors qu'il doit être tout le contraire pour devenir adulte.

Plutôt que d'interdire, expliquez le danger à votre enfant avec une démonstration, faites-lui voir comment tenir les objets, montrez-lui quel est le côté qui peut blesser, apprenez-lui comment on peut tout seul, avec les pieds, les mains et les fesses monter sur une chaise ou franchir trois marches... Il faut que l'enfant apprenne d'abord la CONFIANCE en lui, et non pas votre PEUR.

En tout cas, sachez que vous êtes responsable de son taux de curiosité, donc de son intelligence future, même s'il ne dit encore aucun mot : il pense tout ce qu'il veut faire et, ou bien il tente de l'exécuter, ou bien il est arrêté dans son projet parce qu'il pense DANGER et il reste là, amorphe, attendant qu'on vienne le descendre de sa chaise ou le monter en haut de l'escalier. Il faut être raisonnable : il y a des choses que votre enfant peut risquer et d'autres qui sont franchement interdites (électricité, couteau, aiguilles à tricoter, fer à repasser, gaz, etc.). Aux adultes aussi certaines choses sont interdites. Il s'agit seulement de ne pas *tout* interdire à l'enfant sous prétexte de le conserver *intact* physiquement, au risque de le ficeler, ou de l'amputer psychiquement. Quand on est parent, il faut toujours naviguer entre ces deux repères : le danger réel et notre propre peur trop souvent névrotique.

La petite fille est déclarée plus sage que le petit garçon...

C'est vrai, mais pourquoi donc ?

Parce que, comme nous l'avons déjà vu, elle a pour but principal de conserver l'amour sous condition de la mère, donc de ne pas lui déplaire, ce qui facilite l'obéissance aux interdictions.

Avant de faire quelque chose, une petite fille regarde le visage de sa mère et elle voit dans l'expression de celle-ci si la chose est permise ou défendue. Par la suite, on dira que les femmes sont intuitives et lisent merveilleusement sur le visage des autres... Pas étonnant, elles n'ont fait que cela dans les premières années de formation inconsciente.

Quelquefois, certaines petites filles s'ennuient dans leur tête et vont demander à leur mère « à quoi je pourrais jouer? » et la mère, avec sa tête d'adulte, choisit un jeu pour l'enfant! C'est l'imagination à l'envers, c'est le monde à l'envers, car normalement l'enfant a beaucoup plus d'idées que l'adulte.

Alors parlez-nous de la petite fille « normale ».

C'est celle qu'on rencontre le plus souvent, elle vit ses propres désirs et se met en rage si on lui barre la route... Car ne vous imaginez pas que cette petite fille n'est pas en lutte avec sa mère... Au contraire un enfant qui ne manifesterait pas d'opposition à ses parents entre quinze mois et trois ans, montrerait déjà un désintérêt profond pour ses propres désirs, ce qui serait fort inquiétant pour l'avenir... Or l'avenir de l'adulte est une lutte permanente. On peut se demander à ce propos si ce n'est pas – depuis que nous faisons moins d'enfants – parce que nous sommes devenus laxistes avec eux, voulant avant tout être aimés d'eux, que, arrivés à l'âge d'homme, ils ne savent pas et ne veulent pas combattre. Ils n'ont pas l'habitude de lutter pour obtenir, puisque nous leur avons tout donné d'emblée... Il y en a même qui avouent n'avoir aucun désir, aucun goût particulier pour rien, donc aucune idée en ce qui concerne leur future profession et leurs études.

Rappelons que la petite fille débute ses activités par l'imitation : « faire comme » pour « devenir comme » et rejoindre l'Autre, tel est le grand fantasme de l'enfant de deux ans : rejoindre l'autre non plus de façon câline comme avant, mais de façon active.

Cette petite fille, dès qu'elle peut se déplacer, à quatre pattes d'abord, puis sur ses pieds (aucun mode de déplacement n'est à proscrire : c'est une victoire pour l'enfant de pouvoir SUIVRE l'adulte; peu importe le moyen choisi et tant pis pour le pantalon...), cherche à attraper tout ce qu'elle trouve à sa portée, tous les objets qu'elle a convoités si longtemps sans pouvoir les « prendre », c'est-à-dire les saisir avec les mains et les porter à sa bouche. La bouche en effet reste à cet âge le moyen cognitif le plus rapide pour savoir ce qui est bon ou mauvais.

Un enfant de quinze mois fait toutes sortes de « bêtises », comme dit l'adulte. Il attrape les choses avec maladresse, n'en connaissant ni le poids ni la forme. Il fait tomber ce qu'il touche, il tombe parfois lui-même, il renverse, il fait déborder. Il n'a pas le sens de l'espace ni celui des volumes et c'est justement ce qu'il est en train de découvrir par ses propres moyens.

Si vous voulez avoir un instant de paix avec un enfant de cet âge, asseyez-le dans une petite baignoire à sa taille, emplissez-la d'eau et mettez celle-ci dans la grande en vue des débordements, ou, si c'est l'été, sur un balcon, dans la cour, dans le jardin. Donnez à l'enfant quelques petits récipients en plastique ou même seulement quelques petites cuillères : il va passer un long moment instructif à remplir et à vider les récipients. En versant l'eau, pour remplir et pour vider, l'enfant écoute, regarde, recommence, il est en train de faire l'expérience extraordinaire décrite par le grand Piaget * : il constate que, l'eau versée, le récipient reste dans sa main et il apprend ainsi qu'on peut donner une partie de quelque chose et garder le reste. Sur le plan psychologique, l'enfant se rend compte qu'il peut « donner » quelque chose de lui à sa mère sans disparaître complètement pour autant (constatation importante au moment où justement la mère commence à lui demander de « faire » là où elle veut).

La petite fille, comme le petit garçon, du reste, au même âge, a besoin d'être rassurée sur ce qu'elle donne à l'adulte, besoin de prendre conscience qu'elle ne va pas disparaître avec les excréments... Au début tout est mélangé, l'eau, le récipient et l'enfant, mais peu à peu chaque composante va se dégager, l'enfant comprend qu'il est en définitive maître de l'eau et du récipient, il est content de « dominer », et il sera content de « dominer » son besoin de faire pipi, d'attendre ou de se faire attendre.

* Jean Piaget, *Six études de psychologie*, Folio.

Par moments, quand il est angoissé, tout se mélange à nouveau et il ne sait plus qui dirige, lui ou le besoin de faire pipi : il demande et redemande d'aller sur le pot alors qu'il en vient. Ne vous inquiétez pas, c'est le rodage de ce que l'on appelle la maîtrise de soi, qui consiste à savoir se distinguer de l'objet.

Votre petite fille aime également beaucoup un autre jeu qui consiste à tirer derrière elle les objets qui font du bruit; n'a-t-elle pas été cet objet qu'on tirait ou qu'on poussait et qui suivait? Maintenant elle « prend » le pouvoir sur l'objet et elle rit, elle rit! Elle pousse la chaise contre la porte, de sorte que vous ne pouvez ni entrer ni sortir. Ne grondez pas, elle apprend son pouvoir sur une chaise et sur vous... L'éducation est la longue histoire d'un pouvoir qui s'inverse entre vous et l'enfant, mais le pouvoir de l'enfant augmente peu à peu dans la mesure où vous l'acceptez, où vous ne le brimez pas systématiquement dès qu'il se manifeste... Après quelques minutes de jeu où vous vous laissez « empêcher » par l'enfant, vous aurez toute latitude pour dire que vous avez fini de jouer et que maintenant « il faut que » vous alliez autre part...

C'est dans ces jeux de pouvoir sur vous que l'enfant se remet de son long esclavage oral. La petite fille est particulièrement débordante d'activités, elle a besoin, beaucoup plus que le garçon, de FAIRE, de FAIRE comme elle voit sa mère FAIRE. Pour une fille « être au féminin », c'est faire certains actes que fait la mère : la petite fille, qui vit sans contacts corporels avec son père, n'a pas reçu la confirmation inconsciente que son corps possédait une différence intéressante et sa mère qui l'a tant changée, nettoyée, masturbée (sans le savoir), a davantage pensé à la propreté qu'à la sexualité! Si la petite fille en liberté sur la table de change pédale énergiquement, sa mère a oublié depuis longtemps l'effet produit par ce pédalage... Et si la petite fille met sa main « là », sa mère a tôt fait de la lui enlever, sans mot dire ou avec réflexion à l'appui « Non c'est pas propre » ou, pis encore, « Petite sale! Veux-tu enlever ta main de là! ». La petite fille ne comprend pas les mots, mais elle comprend le ton... Elle ne le fera plus... Elle n'osera plus le faire, si c'est pour se faire taper sur les doigts.

La sexualité de la petite fille est moins « permise » que celle du petit garçon, parce que les manifestations de celle-ci sont évidentes – les mères ne peuvent pas nier l'érection de leur bébé mâle, au moment du change –, tandis que la localisation de celle-là – la sexualité de la petite fille – étant invisible, on peut faire semblant de croire qu'il n'y en a pas du tout.

Mais la plupart des mères parlent de sexualité à leurs enfants actuellement !

C'est bien avant le « parler » que la sexualité de l'enfant fait partie de sa vie. Et je dois dire qu'entre l'absence d'Œdipe avec le père, et l'absence de sexualité reconnue par la mère, la fille aura du mal à « apprécier » son sexe comme il convient... Cette partie du corps va rester pour nombre de filles « honteuse » et les plaisirs qu'on en tire condamnables... La plupart des enquêtes auprès des femmes montrent bien à quel point la masturbation est chose répréhensible pour elles.

Si seulement on se souvenait d'une certaine phrase du premier des psychanalystes... Freud a en effet écrit à propos des mères : « Les rapports de l'enfant avec les personnes qui le soignent sont pour lui une source d'excitations et de satisfactions sexuelles partant des zones érogènes... Il est probable qu'une mère serait vivement étonnée si on lui disait qu'elle éveille ainsi par sa tendresse la pulsion sexuelle de son enfant et en détermine l'intensité future... Elle ne fait qu'accomplir son devoir, quand elle apprend à aimer à l'enfant, qui doit devenir un être complet et sain, doué d'une sexualité bien développée... *. »

Voulez-vous me dire ce que vous avez fait, pour que votre fille soit douée d'une sexualité bien développée ? N'avez-vous pas plutôt œuvré dans le sens contraire, et tout fait pour que cette sexualité soit mise de côté, oubliée, réduite au silence ?

* Sigmund Freud, *Trois Essais sur la sexualité*, Éd. Gallimard, p. 133.

Il est certain que faisant la toilette de ma petite fille, je ne pensais pas à cela... J'aurais eu honte... Et je n'aurais pas voulu faire du sexuel avec elle si tôt!

Mais il n'y a pas de trop tôt en ce qui concerne la masturbation de l'enfant! Toute mère, qui veut tenir propre son enfant, est bien obligée de lui toucher le sexe, délicatement et fort agréablement pour lui!

La masturbation, c'est vous qui l'apprenez à votre enfant. Elle est commencée dès le premier change, lorsque votre enfant ne voit rien, ne sait rien, mais « sent » déjà son sexe que vous avez sollicité sans le vouloir. Jamais votre enfant ne se masturbera autant de fois par jour que vous ne l'aurez masturbé vous-même. Si vous souhaitez que votre fille vive bien sa sexualité, ne vous voilez pas la face. Sachez que le jour où les mots lui viendront pour vous questionner avec sa tête, il y aura belle lurette que son corps connaîtra les jouissances de « se toucher ». Il sera URGENT alors de lui dire la vérité sur ce qu'elle a. Il faut parler à une fille de son CLITORIS qu'elle ne voit pas. Vous l'appellerez « bouton », « zizi de fille », ce que vous voudrez, mais il est impensable de ne pas se conduire dans ce domaine comme dans les autres. Votre enfant a vu pendant longtemps la lampe allumée le soir et un jour il demande ce qui la fait briller, pourquoi ça éclaire, comment ça marche. Ce n'est pas aisé de lui expliquer l'électricité. Cependant vous lui répondez quelque chose de plus ou moins scientifique, de plus ou moins poétique, mais vous n'éludez pas la question. Le soleil, son lever, son coucher, est-ce facile à expliquer? Pourtant, nous avons tenté de le faire, alors pourquoi ne pas agir de même sur le plan sexuel, sachant que votre enfant a des « sensations » depuis sa naissance?

Pourquoi ne pas parler à la petite fille de ce qu'elle connaît pour l'avoir éprouvé depuis toujours dans son corps et dont elle demande aujourd'hui l'explication au moyen des mots, comme elle le fait à propos de tout ce qu'elle constate sans pouvoir l'expliquer : les premiers sexologues sont toujours les parents...

Mais vous savez, nous sommes gênées nous-mêmes pour parler de ces choses à nos filles. On ne peut tout de même pas leur donner le mode d'emploi de la masturbation à deux ans?

Je vous redis que vous leur avez donné plus que le mode d'emploi, vous leur en avez donné l'expérience régulière. Et celle-ci demeure : l'enfant prendra votre relais dès que vous ne le ferez plus vous-même. Vers dix-huit mois quand la petite fille est propre et qu'elle ne porte plus de couches, vous la verrez mettre sa main là, aussi naturellement qu'elle la met dans ses cheveux ou à sa bouche; mais là, elle l'y laisse un peu plus longtemps, tout simplement parce que c'est agréable et que ça rappelle le contact rassurant des mains de la mère... C'est une masturbation passagère et fortuite, qui tient plus aux occasions qu'à un véritable besoin. D'ailleurs, elle ne débouche que sur une détente physique, l'orgasme n'apparaissant qu'à la puberté, avec l'apport hormonal.

La mère ou le père se garderont bien d'interdire ces gestes des enfants, sachant qu'une interdiction de ce type, lors de la formation inconsciente, pourrait entraîner un blocage sexuel avec idée de culpabilité rattachée au sexe. Comme le plus souvent nous sommes destinés, lors de notre vie sexuelle adulte, à nous faire caresser par notre partenaire, il y a tout intérêt à ce que ce geste ne rappelle jamais une expérience pénible. Il doit donc rester « agréable » pour l'enfant. La seule restriction portera sur le caractère privé de la chose : on ne se tripote pas le sexe en public!

L'enfant se caresse spontanément chaque fois que la situation de nudité se présente : déshabillage, bain, station sur le pot, etc. L'endormissement est aussi un moment favorable à la caresse car souvent l'enfant a besoin d'être rassuré avant de s'endormir et la masturbation a une fonction rassurante puisqu'elle évoque une situation de confiance avec la mère.

La masturbation n'est pas toujours manuelle et des tas de positions et balancements peuvent favoriser chez la fille des sensations voluptueuses du clitoris et des grandes lèvres.

Même chez l'adulte, la masturbation garde une place en tant que jouissance *rassurante*, qu'on peut se donner à soi-même. Ce n'est pas pire que de manger ou de boire un bon verre pour se redonner le moral... La masturbation, dans la mesure où elle n'est pas compulsionnelle, c'est-à-dire retour en arrière permanent, ne doit pas inquiéter les parents. Elle *fait partie de la vie* au même titre que la nourriture ou les excréments.

Cela paraît difficile à admettre!

Et c'est pourtant la réalité, car de tube digestif affolé par le vide lors de la naissance que seule la nourriture pouvait combler, l'enfant progressivement devient lieu de jouissances multiples et peu à peu diversifie ses occasions de plaisir : le plaisir sexuel en fait partie.

Pour vous, la sexualité est tout le temps présente dans la vie de l'enfant?

Certainement, mais on a beaucoup de mal à faire admettre cela aux parents. Ils ne se rendent pas compte que leur silence quand l'enfant les questionne sur la sexualité (on laissera toujours l'enfant prendre l'initiative de la question) risque d'avoir des conséquences définitives en créant entre eux et lui un domaine interdit, qui englobera bien d'autres sujets que la sexualité. Devant leur refus évident de répondre, il conclura qu'il y a des choses qu'il vaut mieux ignorer, et il refusera lui-même par la suite d'apprendre certaines données scolaires qui ne lui paraissent pas évidentes. Le domaine sexuel est, avec celui de la mort, l'endroit où les psychanalystes trouvent le plus souvent l'origine du blocage intellectuel et scolaire.

Ni l'enfant ni le savoir ne peuvent se découper en tranches. Les parents qui sèment des « secrets » récolteront des « lacunes », c'est parfaitement logique. Ou bien l'enfant a l'habitude de tout comprendre avec l'aide de ses parents, ou bien il a l'habitude de buter contre des portes fermées, et cette situation inspirera son comportement à l'école : ou aller vers toutes les connaissances ou rester derrière la porte, ou tout comprendre, ou ne pas comprendre. En effet, l'enfant est un TOUT et, malheureusement, peu de gens connaissent cette vérité. Si vous refusez de répondre à une de ses questions, non seulement la question ne disparaîtra pas, mais elle occupera tout le champ de la réflexion : la partie aura bloqué le TOUT. Ne vous étonnez pas alors que votre enfant soit distrait, dans la lune, « parti ailleurs »...

De plus, un enfant à qui on refuse le « dire » va continuer à « faire », pour trouver une autre solution à ce qu'il ne comprend pas. C'est le cas de la petite fille qui, dans les réponses de sa mère, a senti une orientation franchement morale, non pertinente à ses questions et qui continue tranquillement à jouer à « ça », en l'absence de ses parents. On est parfois surpris de la trouver avec un objet dans le vagin, alors qu'elle était censée ignorer cet endroit. Il est vrai qu'elle agit de même avec ses oreilles, ou les trous de son nez, mais les uns sont reconnus et nommés et le vagin ne l'est pas.

Elle a découvert qu'elle avait un trou « là », mais ce « là » étant devenu tabou, elle ne pourra rien en dire. Comment voulez-vous qu'un peu plus tard, vers cinq, six ans, elle vienne vous dire ce que lui font les petits garçons du quartier ou pis encore le voyeur ou l'exhibitionniste du coin ? Les parents eux-mêmes ont barré la route à ce dire-là... Beaucoup de gens se désolent de l'extrême silence de la petite fille, de la jeune fille, de la femme même quand elle subit un outrage sexuel !

C'est d'autant plus curieux que permission a été largement donnée de parler de cela, en cas de viol tout particulièrement.

On ne peut s'étonner que quelqu'un soit incapable de parler d'un sujet qui a toujours été évité jusque-là avec lui.

Ainsi en est-il de la petite fille ou de la femme dont on a clos la bouche, par un silence significatif à propos du sexe.

C'est pourquoi, quand il s'agit du sexe, l'enfant se débrouille *seul*, même si ce monsieur lui demande des choses pas très claires, même si le tonton a une drôle de conception de la tendresse : il sait que de ces choses, on n'a JAMAIS parlé, comment et où trouver des mots pour cela aujourd'hui? Il pense qu'il ne serait pas bien de le faire.

La fille, entre l'absence de reconnaissance de sa féminité par son père et le silence de sa mère sur ces choses, est devenue « muette » sur le sujet. D'autant plus que, souvenez-vous, alors que la maman attachait le moins d'importance possible au sexe, tout à coup le tonton s'y intéresse beaucoup et dira à l'enfant plein de choses délicieuses et troublantes. Elle est touchée œdipiennement parce qu'elle entend ce qu'elle aurait voulu entendre de son père et ça lui fait un peu de *plaisir*, mais aussi tellement de *honte*... Être ambivalente entre le plaisir et la honte, n'est-ce pas une position psychologique fréquente chez la femme, qui refuse souvent par pruderie tout ce qu'elle adore par nature?

C'est la première fois que je comprends la double raison du silence des petites filles.

Et tout se joue entre zéro et cinq ans! Tout ce qu'on peut faire et dire après ne se grave plus dans l'inconscient. Les parents doivent absolument comprendre que, de leur attitude vis-à-vis de la sexualité avant six ans, découlera tout le comportement de l'enfant et de l'adulte. Il est donc très important que, d'une part, le père aime œdipiennement sa fille pour qu'elle ne découvre pas cela plus tard avec un autre et que, d'autre part, la mère parle de ce que la petite fille « A » et non de ce qui l'attend plus tard. A cause du silence des mères, leurs filles vivent d'attente et de rêves : une petite fille n'est pas ce qu'elle EST, elle attend ce qu'elle SERA, dont font partie le mari, le bébé, toutes notions bien ancrées dans l'inconscient féminin...

Que ne ferait-on pas pour AVOIR un enfant, si c'est la condition indispensable pour ÊTRE une femme? Nous verrons cela plus loin.

La petite fille, qui croit n'avoir RIEN du temps de son enfance, demandera et attendra TOUT à l'âge adulte et sera peut-être déçue... Si on apprenait aux petites filles que, telles qu'elles sont, elles nous satisfont, peut-être ne les retrouverait-on pas femmes insatisfaites et difficilement comblées parce que n'ayant jamais eu l'expérience de l'être...

Combien de regards maternels restent fichés dans le cœur de la femme, elle qui se sent si souvent coupable de ne pas être à la hauteur de la situation et craignant qu'une autre ne prenne sa place! Quelle « autre » pourrait encore inspirer des craintes pareilles à l'adulte, sinon la première de toutes, la mère qui a écrasé sa fille de toute la supériorité de son corps et ne lui a laissé supposer à aucun moment une similitude que la petite fille ne devine pas?...

Elle voit les seins de sa mère et elle constate sa propre platitude, elle voit la toison pubienne féminine et elle se voit toute lisse et fendue. Il est bien normal qu'à partir de là, elle questionne celle qui possède « tout ce qu'elle n'a pas ». Il est grave qu'une mère écarte les questions de sa fille qui a abolument besoin de sa réponse pour se rassurer sur ce qu'elle EST et ce qu'elle A. Or, les mères se taisent quant aux jouissances réelles de l'enfant – qui de ce fait, deviennent « interdites » et « coupables » – et, la plupart du temps, se contentent d'évoquer ce qui est à venir : les seins, les bébés, le mari, tout ce qui est hors d'atteinte de la petite fille. Celle-ci ne peut que rager du fait qu'elle n'a RIEN de ce qu'il faut pour être une femme et ne peut qu'en vouloir à sa mère de ne pas lui avoir donné ce qu'ont les femmes.

La jalousie si évidente des femmes entre elles viendrait-elle de là?

Certainement, la petite fille n'ayant ni le même corps que la mère, ni l'attention du père, ne développant ni hétérosexualité (que sa mère lui promet pour plus tard) ni homo-sexualité * (car il n'y a rien de semblable entre elle et sa mère, si on ne lui en parle pas), elle se juge complètement défavorisée par rapport à l'autre femme. La COMPARAISON entre femmes commence bien là, au détriment de la petite fille qui devient JALOUSE de sa mère et n'a d'autre ressource que de « jouer » à la maman.

Les femmes se jugent toujours les unes par rapport aux autres. « Dis-moi que je suis la plus belle », demande fréquemment la femme à l'homme, comme le demandait à son miroir, dans *Blanche-Neige*, la méchante reine qui ne supportait pas l'idée qu'une très jeune fille fût plus belle qu'elle. C'est un conte qui ravit l'âme des petites filles car non seulement une jeune fille y est enfin plus belle qu'une très belle femme dans sa maturité, mais encore le règne de la femme se termine (la reine meurt) quand commence celui de la jeune fille (Blanche-Neige est « réveillée » et rendue à la vie). Ainsi les petites filles peuvent-elles croire un instant qu'elles ont des chances de l'emporter sur les femmes.

Dans de nombreux contes pour enfants l'héroïne est une belle jeune fille « malheureuse » qui finit par l'emporter sur une femme mûre et riche. Dans tous les romans tant aimés des femmes et vendus par millions de par le monde, l'héroïne est aussi une belle jeune fille malheureuse, ou orpheline, ou rejetée par ses pareilles qui ne font qu'aggraver ses malheurs et lui faire souhaiter plus ardemment la venue de CELUI qui l'aimera enfin!

Des contes pour enfants aux romans d'amour pour femmes, il n'y a pas de différence : l'un est magique, l'autre merveilleux. Mais c'est toujours la même histoire, celle des jeunes filles rendues malheureuses par leur entourage et sauvées, ou par le Prince Charmant, ou par « l'homme de leur vie ». Pourquoi les filles puis les femmes sont-elles les « liseuses de roman » que nous savons, sinon parce que c'est leur unique moyen de voir incarnés leurs

---

* Que le lecteur veuille bien noter la différence entre « homo-sexualité » (en deux mots, qui signifie « la même sexualité ») et homosexualité (en un seul mot, qui renvoie au sens habituel de pratique sexuelle avec une personne du même sexe).

rêves de bonheur avec l'homme, même si ce n'est que sur le papier?

La petite fille, la jeune fille, la femme, ont toutes comme problème « l'autre femme ». C'est la dialectique de la fille élevée par une autre femme, gênée par son existence et cependant ne vivant que par elle... Et, dans son for intérieur, rêvant d'un homme salvateur.

L'homme, nous le savons, fera payer cher, parfois très cher à la femme, le fait d'avoir été pris comme antidote de la mère... J'ai entendu souvent la femme exprimer sa surprise de n'avoir trouvé dans l'homme qu'une deuxième Mère, plus sadique encore que celle qu'elle avait fuie en se jetant dans le mariage.

Mais la plupart des femmes disent préférer l'homme à la femme!

C'est un fantasme qui vient de loin! La petite fille, dans ses difficultés avec la mère, imagine déjà que si elle était avec son père ce serait sûrement mieux (ce qui n'est pas prouvé, car il faut aussi une mère!). Déjà la suprématie du père « absent » se nourrit de l'ambivalence à la mère. Les fantasmes viennent au secours de la petite fille perdue dans le face à face avec sa mère.

Et les fantasmes cherchent à se réaliser, car à partir de dix-huit ou vingt mois, la petite fille (si elle a été éduquée principalement par sa mère) va essayer de faire la conquête de son père. Après tout, si elle n'a rien de commun avec cette femme, peut-être peut-elle lui prendre son mari; ce serait un bon lot de consolation! La fillette entre ainsi, tardivement hélas! dans l'Œdipe que le garçon a connu dès sa naissance.

Elle veut séduire son père. Elle prend vos chaussures, vos colliers, votre rouge à lèvres pour faire une entrée remarquée au salon où papa, persuadé que sa fille est heureuse puisqu'elle vit avec la mère, est en train de regarder la télévision. La nouvelle Stéphanie est là, visiblement séductrice, déguisée de tous vos atours. Surtout, laissez faire! Que votre mari, lui, fasse bon accueil à cette petite comédie, qu'il éteigne un peu sa chère télé pour dire à Stéphanie qu'il l'aime « aussi » telle qu'elle EST, parce qu'elle est SA fille...

La fille, à partir de deux ans, essaye de toutes ses forces d'intéresser son père, elle lui apporte ses pantoufles, son journal, elle se colle à côté de lui faisant semblant de lire... Et voilà justement maman qui l'appelle pour aller dans son bain! Oh, que maman est embêtante! Eh bien, si papa, après un câlin bien mérité, allait lui donner son bain, ne serait-ce pas mieux pour tout le monde? Après tout les mères le font bien avec leur fils, pourquoi les pères ne le feraient-ils pas avec leur fille? Seraient-ils inaptes à faire la toilette des enfants? Réfléchissez à ceci : n'est-ce pas vous qui, sous prétexte de leçons à apprendre, de bain ou de repas, coupez votre petite fille de son père? Sous prétexte de « bonne » éducation que vous seriez seule à pouvoir lui donner, ne vous mettez-vous pas en travers de la route de votre enfant?

Vous pensez vraiment que les mères mettent un frein aux élans œdipiens de la fille vers le père?

Je le pense parce que des hommes, pères de famille, sont venus après mes conférences me dire : « Madame, tout cela est très bien, mais dites d'abord à ma femme de me laisser la place... Elle est toujours là, ne me faisant pas confiance une minute! »

Je le pense aussi à cause de nombreuses réflexions venant d'adultes en problèmes qui m'ont dit, comme cette jeune femme :

« Comment voir le Père, derrière l'écran que fait la Mère? » Et cette autre :

« Mon père? Elle a tout fait pour qu'il ne s'intéresse pas à moi, il fallait qu'il n'y ait qu'ELLE! »

Sans en avoir conscience, les mères sont les premières à refuser de prêter le père à l'enfant ou l'enfant au père : certaines croient absolument être les seules compétentes pour s'occuper d'une fille, d'autres, aussi affamées d'Œdipe que leur fille, n'entendent pas lâcher leur objet d'amour exclusif, leur mari, au bénéfice de leur fille, d'autres encore relèvent des deux catégories à la fois, ce qui donne en clair : « Ma fille a sa mère, et moi j'ai mon mari. » Aussi reprochent-elles à l'homme de s'occuper de ce qui ne le regarde pas, et à la fille d'importuner son père qui a autre chose à faire...

Vous connaissez comme moi ces mères qui ne délèguent leur pouvoir auprès de l'enfant qu'au moment de punir, pensant ainsi garder leur privilège de « bonne mère ». Elles disent à l'enfant : « Tu verras quand papa arrivera !... », laissant le sale rôle de justicier au père qui, souvent, n'a d'autres liens œdipiens avec sa fille que la gronderie du soir. Le résultat de ce manège est que l'enfant considère n'être aimé ni par le père qui gronde, ni par la mère qui « cafarde »...

On dirait qu'une femme devenue mère a tout oublié de sa relation ambivalente avec sa propre mère ou qu'elle espère faire mieux... Mais il est impossible d'être une BONNE MÈRE, aimée à tout instant, c'est un rêve complètement chimérique de la part des femmes, acharnées à donner ce qu'elles n'ont pas eu.

En effet, il arrive toujours un moment où, pour le bien ou la vie même de l'enfant, vous refusez d'accéder à son désir. A partir de là, la « bonne mère » n'existe plus. L'enfant vous rejette intérieurement, il vous *déteste* pendant un laps de temps plus ou moins long. Quand on est parent, il est indispensable de savoir ceci : nos enfants nous *aiment* et nous *détestent* tour à tour, selon que nous correspondons ou non à leur désir du moment.

Au cours de la première année déjà, que de désirs contrariés chez un jeune bébé de trois ou quatre mois qui n'a pas de mots pour dire ce qu'il veut exactement ! Dès la première année, l'enfant a pour son parent un amour *ambivalent*, et c'est ce qu'il peut faire de mieux ! Il est important que les mères le sachent ! Elles ne peuvent pas être aimées totalement et idéalement comme elles le souhaitent parfois et c'est de ce Manque que jaillit la communication donc la parole humaine. C'est dans la trop grande proximité avec le désir de la mère que s'établit le silence du psychotique.

Et quand elles le sauront, pourront-elles lutter contre la force de leur inconscient qui veut que l'enfant soit parfaitement heureux ?

Peut-être seront-elles moins sûres qu'une mère est toujours mieux qu'un père. Peut-être laisseront-elles le père s'occuper aussi de l'enfant, faire de l'identification avec son fils et vivre l'œdipe avec sa fille, avant qu'ils n'aient cinq ou six ans. Car ce qui se passe après ce moment-là arrive beaucoup trop tard pour être pris en compte par la mémoire de l'ordinateur de l'inconscient qui affiche « saturé » dès l'âge de cinq ans.

Les mères croient toujours être mieux que tout. Elles veulent l'être. Certaines d'entre elles – j'en ai rencontré et les pédiatres en voient – s'obstinent à allaiter leur enfant jusqu'à deux ans ou plus, sous prétexte de lui éviter la frustration consécutive à la séparation d'avec le sein ! Et si la femme souhaite avoir la haute main sur l'éducation, c'est, la plupart du temps, parce que, ayant été blessée par sa propre mère et voulant éviter la blessure à son enfant, elle croit être la seule à pouvoir le faire.

Ces femmes, avec leur désir de bonheur acharné, en voulant un Nirvâna sur terre pour leur enfant, le replongent dans les frustrations et les conflits car elles empiètent sur sa liberté première. Tout le monde devrait lire Mélanie Klein *, cette grande psychanalyste du début du siècle qui a écrit des pages et des pages sur la Haine et sur l'Amour, que traverse alternativement le bébé : il a parfois des fantasmes de destruction terribles concernant le sein, la mère et lui-même. Le bébé est loin d'être ce petit ange que nous aimons regarder dormir dans son berceau et parfois sourire « aux » anges et il manifeste souvent par la violence de ses rages qu'il voudrait tout réduire à néant, y compris ses parents, s'il le pouvait...

A l'âge où l'inconscient de nos enfants est le plus meurtrier nous avons heureusement la force physique de notre côté !

* Mélanie Klein et Johan Rivière, *L'Amour et la Haine*, Payot.

Il est vrai qu'un enfant endormi et qui, parfois, sourit dans son sommeil, nous paraît être l'image vivante du paradis sur terre...

Non, notre enfant n'a rien d'un ange, il ne descend d'aucun paradis et nous n'avons aucun Éden à lui offrir. Notre devoir de parents est justement de lui faire *prendre conscience* du monde qui l'entoure et du fait que sa toute-puissance n'est que relative. Croire que l'on peut prolonger l'état bienheureux de l'avant-naissance (et encore ne savons-nous pas exactement ce qu'il est) au-delà de l'accouchement, est un leurre et un rêve d'adulte.

Nulle mère si « bonne » soit-elle ne peut empêcher que son enfant, à partir de son entrée dans le monde réel, ne souffre de toutes les agressions connues en un seul instant et qui entourent la naissance : la pesanteur qui lui donne l'impression de tomber dans le vide enfin découvert (voir les rêves qu'adultes nous faisons sur des chutes mortelles dans le vide), la lumière tout à coup sans filtrage, le bruit terrible parce qu'il frappe directement son oreille au lieu d'être transmis à travers le liquide amniotique, tout ce qui représente l'énorme stress dû à la naissance et qui arrache brutalement le bébé à l'Éden maternel.

Vous n'avez pas été « bonne » à ce moment-là, mais vous avez été mère et vous allez le rester, c'est-à-dire à ses côtés quand il éprouvera de l'angoisse : vous n'allez pas nier l'angoisse, vous allez lui faire comprendre qu'il n'est pas SEUL. C'est vous, les parents, qui allez lui apprendre que la vie se traverse mieux en compagnie.

Somme toute, vous n'allez pas le leurrer avec un paradis illusoire, vous allez lui faire quitter le sourire béat de l'ange pour lui faire connaître les manques et les joies des êtres humains, indéfiniment tracassés par le désir de « tout être et tout avoir ».

La science de l'éducation n'est-elle pas l'art d'apprendre à l'enfant ce qu'il peut atteindre et comment l'obtenir, plutôt que de lui faire croire qu'il peut TOUT avoir alors que nous savons très bien qu'il n'en est rien. Ni Père ni Mère ne sont le TOUT de l'enfant, et il n'y a aucune raison de donner la préséance à la femme pour ce qui est du bonheur de l'enfant.

L'enfant est en effet ce petit être paradisiaque dont nous ne voyons pas ou si peu les enfers de rage... Ni les fantasmes intérieurs de destruction, ni la sexualité naissante. Nous avons besoin de croire qu'il vient d'ailleurs et qu'il est PUR!

Pur l'enfant? On voit bien que notre culture est encore tout imprégnée de judéo-christianisme avec notion de faute et la pureté comme objectif à atteindre : « Si vous ne devenez purs comme cet enfant, vous n'entrerez pas dans le Royaume de Dieu. » La phrase résonne encore dans nos oreilles alors que nous ne croyons plus au Royaume depuis longtemps!

Mais nul n'est PUR sur cette terre, même pas l'enfant qui vient de naître et qui hurle prêt à dévorer tout ce qui pourrait passer à portée de sa bouche, l'enfant qui se griffe la figure dans sa rage d'être contrarié, l'enfant qui se calme miraculeusement parce que sa mère, pour le faire « attendre », l'a pris dans ses bras et frotte sensuellement sa joue contre la sienne. Un « petit pervers polymorphe », voilà ce qu'est l'enfant d'après Freud qui l'a étudié de près, il n'y a même pas cent ans! Mais on continue à vouloir considérer les jeunes enfants comme des anges, sans sexe, bien entendu.

Je n'étais, hélas, pas tellement étonnée d'entendre, il y a quelques jours à la télévision, au cours d'une émission sur la sexualité des Français, une jeune mère dire combien c'était « triste de constater que nos enfants dès l'âge de deux ou trois ans jouaient sexuellement entre eux. C'était désolant qu'ils connaissent ces choses aussi jeunes ».

La sexualité est-elle vue comme la chose la plus triste du monde, alors que c'est l'une des plus belles? Ne les a-t-on pas mis au monde, ces chers petits, pour que progressivement ils nous rejoignent, puis nous dépassent? Ils naissent avec un appareil neuro-musculaire insuffisant et, de ce fait, nous passerons beaucoup d'heures à les porter et leur apprendre à marcher, mais la sexualité, elle, est complète. Tous les organes sont là : la petite fille possède à l'intérieur du corps la même chose que sa mère et l'extérieur, bien que se présentant différemment, comprend tous les organes excitables de la vulve. Nous n'aurions pas grand mal à dire ce qui est si nous n'étions pas tant obsédés par l'idée « impure » que nous nous faisons de la sexualité. Nous payons ainsi un tribut à la Vierge Marie. Le sexe la dégoûtait tellement qu'elle a conçu par l'opération du Saint-Esprit tout en ne « connaissant » pas l'homme... Ça nous a marqués cette histoire de vierge-mère! Elle a accouché d'un Dieu, et nous, nous accouchons de petits anges (qui deviennent souvent de petits démons).

Les parents réaliseraient-ils un rêve caressé depuis longtemps : celui de repartir de zéro, quand rien de méchant, ni de mal n'était encore inscrit? Veulent-ils absolument « se » revoir béatement heureux?

C'est cela qui crée un abîme entre enfants et parents et un océan entre mère et fille car la mère ne veut pas que sa fille devienne un être sexué, et elle pense naïvement pouvoir la laisser dans l'ignorance. Ce dont elle ne se rend pas compte, c'est que sa fille connaît une part de sa vérité intime et qu'elle prend l'habitude de la garder pour elle. Toutes les petites filles se masturbent, mais toutes les mamans ne le savent pas, à croire qu'elles ont oublié ce qu'elles faisaient elles-mêmes dans leur lit quand la lumière était éteinte et que maman était partie.

Finalement à cet âge anal du « faire » et du « dire » la petite fille se heurte au refus conscient de la mère de parler de choses sexuelles?

Oui, la première difficulté pour la fille est apparue au stade oral quand sa mère « voulait » absolument une « bonne » petite fille qui puisse réparer sa propre enfance et que la fille, au cours de la première année, a plus ou moins, selon la demande maternelle, « abandonné son corps » à sa mère. Et maintenant qu'avec sa tête elle veut savoir, maintenant qu'enfin elle veut comprendre qui elle est, mettre des mots sur ce qu'elle ressent, elle se heurte à un mur du côté maternel : « Tu es trop jeune pour parler de ça, on verra plus tard. »

L'enfant qui pose une question sur un sujet n'est jamais trop jeune pour l'aborder. Sinon, il ne le ferait pas. C'est la mère qui est déjà trop vieille dans sa tête, pour ne plus se souvenir qu'elle aussi avait voulu comprendre, qu'elle aussi avait posé des questions. Pourquoi les seins ? Pourquoi les bébés ? Pouquoi les poils ? Pourquoi les chatouilles en bas entre les cuisses ? Pourquoi papa ferme-t-il la porte de la salle de bains (ce qu'il n'aurait pas dû faire) ?... Elle a oublié comme sa confiance en sa mère s'était évanouie peu à peu, et elle recommence avec sa fille... Et sa fille passe de l'ambivalence du premier âge, au refus conscient : elle ne fera plus confiance à une telle mère.

Pourtant nos petites filles nous font souvent de grandes déclarations d'amour : « Maman, si tu savais comme je t'aime. »

Ne vous y fiez pas, le bonheur n'a pas d'histoire... Et si l'enfant cherche à vous rassurer, c'est de crainte que vous ne perceviez la défaillance de son amour. Car elle ne vous aime pas comme vous vous le figurez. Si votre fille vous le dit, ou vous l'écrit, pour la fête des mères, voyez là un cadeau conventionnel qui fait partie de la norme. En revanche, si votre fille est sans arrêt sur vos talons pour vous faire un câlin et vous dire qu'elle vous aime, il se peut que son extrême amour se transforme en crainte de vous perdre à la moindre occasion, accident, maladie, absence ; soyez attentive à la situation actuelle de l'enfant. Les déclarations intempestives prouvent qu'elle a du mal à vous aimer en ce moment et a besoin de se repositionner dans sa relation avec vous.

Demandez-vous en quoi vous la dérangez. Êtes-vous en train de barrer sa route vis-à-vis du père ? Êtes-vous au contraire prise dans un souhait de mort qui signale une position œdipienne « engagée » avec le père ? Pour votre bien à toutes deux, vous avez intérêt à ce que l'enfant se rende compte que vous n'êtes pas vraiment l'ennemie qu'elle croit, mais une mère toute prête à l'aider à conquérir le père.

Mais comment est-ce que je peux lui apparaître si dangereuse pour elle, alors que je ne cherche que son bonheur?

D'abord le bonheur que vous lui souhaitez ne ressemble sans doute pas à celui qu'elle veut elle-même. Nous avons déjà vu comment les « bons » fantasmes des mères dans la première année mènent à des situations mauvaises. De plus, vos fantasmes de « comment doit être une fille » ont persisté au-delà de la première année. Que me disent ces filles trop longtemps tenues sous l'autorité écrasante de la mère?

« MAUVAISE, j'étais MAUVAISE parce que pas conforme à son idéal de femme... J'étais mauvaise parce que je n'étais pas ce qu'elle voulait. »

« Comment ne pas me sentir MAUVAISE, alors que je refusais de faire ce qu'elle déclarait BON? »

« Elle ne pouvait pas m'aimer, j'étais trop DIFFÉRENTE de ce qu'elle attendait. »

Certaines femmes restent toujours avec l'idée du regard de l'Autre et elles tremblent d'être vues MAUVAISES, ou DIFFÉRENTES de ce qu'il faudrait être. Cette obsession s'est imprimée en elles dès leur plus jeune âge. Elles font partie de ces femmes trop propres, toujours en train d'enlever la saleté, de traquer la poussière; elles essayent par des actes d'enlever la noirceur qu'elles croient porter en elles et voir autour d'elles.

Mais la saleté contre laquelle elles se battent continue de les traquer à l'infini, car il s'agit le plus souvent de la culpabilité contractée dans l'enfance face à une mère trop exigeante par rapport au stéréotype féminin. Ces femmes obsessionnelles de la propreté cherchent en vain et indéfiniment à éviter la disqualification qui pourrait venir des autres femmes, comme autrefois elles risquaient la disqualification maternelle...

La fille, face à tant de difficultés, n'a-t-elle d'autre recours que le père? Et s'il n'y a pas de père? Et si le père ne veut pas se prêter à l'Œdipe avec sa fille? Comment va-t-elle se débrouiller dans des sentiments aussi complexes et parfois contradictoires?

Le plus souvent l'enfant, dépassée par l'intensité de ses sentiments envers ses parents, va les « partager » avec un animal ou un jouet qui fait partie de son environnement. C'est ainsi que nous voyons la petite fille jeter dans un coin son nounours chéri et partir en lui tournant le dos, pour revenir l'instant d'après le ramasser et le serrer tendrement sur son coeur, avant de recommencer. A deux ans, la petite fille a déjà trouvé un moyen de ne pas garder sa rage en elle : elle l'attribue à un autre. C'est la base même du jeu psycho-dramatique employé en thérapie adulte pour libérer le « refoulé » dangereusement accumulé.

Un autre jeu avait commencé bien plus tôt, vers neuf ou dix mois lorsque l'enfant du haut de sa chaise, ou de son berceau s'amusait à jeter par terre tous les objets qu'on lui donnait. C'est le célèbre « va-t'en reviens », manège observé par Freud chez l'enfant qui tente de s'habituer ainsi aux départs de sa mère. En effet, bien que suivis de retour, ceux-ci le font souffrir depuis l'âge de huit mois.

Il est bon de jouer à ce jeu avec l'enfant, comme il est bon de jouer à cache-cache un peu plus tard, tout cela prouvant que les gens peuvent disparaître et peu après réapparaître. Le départ des parents ne serait pas plus terrible que cela!

Par le jeu l'enfant essaye donc de s'habituer à ce qui l'angoisse intérieurement et à le réduire à un événement courant et sans danger?

Oui, par le jeu l'enfant reproduit la même situation que celle qu'il a dû subir et qui l'a angoissé, mais cette fois-ci c'est lui qui tient les commandes : de *passif* il devient *actif.*

Tout le monde connaît l'attrait de la petite fille pour une poupée à qui elle fait revivre les situations qu'elle a connues avec sa mère. La poupée est déclarée tour à tour « mignonne » si elle fait ce qu'on lui dit et « vilaine » si elle ne le fait pas. La petite fille essaye par là de prendre à son tour le rôle de parent tout-puissant, ce qui lui permet, en pensée au moins, d'inverser la situation et de ne pas être toujours celle qui doit obéir.

Je me souviens de la joie extraordinaire de mes enfants lorsque je consentais à devenir « le bébé », eux étant alors les parents. Tout y passait de leur vie affective, qu'ils me prêtaient à ce moment-là : j'ai eu droit à une explication de la jalousie, un discours sur la propreté, une attitude rassurante devant ma peur du noir; ils me montraient quoi faire quand le bébé pleure, que lui dire pour lui expliquer sa naissance... C'était pour moi le miroir où je pouvais voir la mère que j'étais, et c'était pour eux l'occasion de s'imaginer « grand » avec un « petit ». Les rôles n'étaient donc pas immuables; un jour ils prendraient le pouvoir. Ce qui n'est pas si faux, même par rapport aux parents. Quand nos enfants sont grands, il arrive que nous ayons singulièrement rapetissé et qu'ils poussent à leur tour notre petite voiture...

Je comprends maintenant l'importance de laisser l'enfant jouer librement comme il l'entend car il est seul à pouvoir orienter le jeu vers une forme qui lui est utile.

En effet au stade oral l'enfant était seulement capable de pleurer, ou de refuser la nourriture qu'on lui proposait; en cas de difficulté, l'expression passait par la totalité du corps. A partir de l'âge de quinze mois, l'enfant ayant acquis la marche peut s'éloigner de ce qu'il ne veut pas et se rapprocher de ce qu'il convoite ou même l'attraper. Il n'est déjà plus entièrement soumis à la volonté des parents... C'est d'ailleurs par de bruyants caprices qu'il va signaler son propre désir.

Et puis il parle, ce qui lui donne la possibilité de « dire » ses sentiments les plus violents. Dans le jeu, qui reproduira ses propres mésaventures, et par l'intermédiaire d'un objet ou d'un animal, l'enfant se délivrera de ses pulsions violentes vis-à-vis de ceux qui s'opposent à ses désirs, c'est-à-dire ses parents ou ceux qui en ont la garde et doivent se faire obéir de lui. Ce sont eux qu'il va frapper et jeter à terre quand, en jouant, il va frapper et jeter au loin son cher nounours. A dix-huit mois ou à deux ans, l'enfant sait créer une situation parlée dans laquelle il va se décharger, grâce à un jouet ou un objet quelconque, d'une accumulation de sentiments qu'il serait incapable d'exprimer pour son propre compte. Peu importe l'objet ou le jouet choisi. L'imaginaire de l'enfant est tel que tout peut devenir « autre chose » à quoi il attribue ses propres sentiments : un petit bâton peut devenir un enfant qui marche, une auto peut être punie, mise au garage, etc.

A deux ans, l'enfant qui n'est pas scolarisé joue le plus souvent en solitaire et, s'il demande exceptionnellement votre participation, gardez-vous bien d'avoir des idées morales sur ce qu'il a imaginé ; vous êtes en ce moment un compagnon de jeu et non un parent...

Dès l'âge de deux ans et demi, votre enfant va en rejoindre d'autres à la maternelle. Les garçons s'en désolent bruyamment parfois les premiers jours, mais les filles exultent. Quelle joie de trouver enfin des pareilles à soi! Quelle joie de pouvoir FAIRE de nouvelles choses avec une nouvelle maîtresse! Enfin, la relation écrasante à la mère cesse et la petite fille se montre pleine d'entrain. Celui qui pleure son passé ce jour-là, c'est le petit garçon plus rarement la petite fille!

La poupée fait-elle encore longtemps partie de la vie de la fille et doit-on lui en donner une? N'est-ce pas l'orienter vers un certain devenir féminin révolu à notre époque?

La poupée ou le poupon vont garder encore longtemps une place dans la vie de la fillette en tant qu'alter ego, qui « partage les difficultés » de l'enfant *. Rentrant de

---

* Une de mes patientes très malmenée par sa mère ajoute comme preuve à l'appui du manque d'amour maternel : « Et elle ne m'a même pas donné une poupée, je n'ai jamais eu de poupée! »

l'école votre petite fille ne se précipite-t-elle pas pour refaire la classe à ses poupées, elle prenant bien sûr le rôle de la maîtresse qui est devenue une nouvelle image identificatoire féminine. Par tous les moyens, cette petite fille cherche à copier la femme, dont elle se sent si loin et depuis si longtemps! Elle peut convier un petit copain à partager son jeu, mais c'est toujours elle qui invente les rôles... C'est elle qui a plaisir à jouer à ça. Le garçon, ayant eu moins de problèmes identificatoires (à cet âge il navigue toujours dans l'œdipe avec sa mère), n'a pas autant besoin de faire semblant d'être ce qu'il n'est pas. C'est l'affaire de la fille d'aborder le féminin par le rôle de femme; lui, le garçon, il sait qu'il est un garçon, que c'est bien ainsi et il *le sait depuis le début* avec la mère.

La fille joue avec ses copines et parle beaucoup de sa maman qui a dit ça, qui a fait ça; on dirait qu'elle doit se réclamer de quelqu'un. Peu à peu elle prend comme norme la maîtresse et elle joue à faire la classe. La fille aborde toute chose par le « si on était ». Elle essaye toutes les identités, puisqu'en fait elle n'en a vraiment aucune autre que celle de son prénom. Son corps toujours plat et fluet continue de ne la désigner comme rien de sexué, et parfois elle se demande si elle a ou non quelque chose d'une femme sur elle. Elle est la première à déclencher le jeu des amoureux ou le jeu du docteur qui lui permettent quelques incursions du côté des autres filles ou des garçons. Et elle est tout étonnée de ce qu'elle voit. Mais sa mère ne doit pas être au courant. Il ne faut pas lui en parler, c'est sans doute mal de regarder les fesses de Christophe; car, pour l'enfant, tout ce qui est « en bas » se rattache à quelque chose de défendu. C'est pour ça que les parents n'en parlent pas se disent les enfants...

Est-ce que les difficultés avec la mère durent encore?

Elles s'estompent beaucoup, à mesure que la petite fille s'attache à l'école et à l'extérieur. Elle a changé de monde; ce n'est plus la compétition avec la mère qui l'occupe, mais sa place parmi les « filles ». Les problèmes avec la mère sont « refoulés » au bénéfice des relations avec la maîtresse et les copines. La relation à la mère PARAÎT changer de couleur et maman devient *temporairement* la confidente élective de ce qui se passe à l'école. Cette période de calme relatif porte le nom de période de latence. Elle va de quatre à dix ou onze ans et se caractérise par le refoulement des conflits avec la mère, accompagné d'une raréfaction de la masturbation solitaire : à cette époque la petite fille est tout occupée à devenir une personne sociale et délaisse les problèmes plus intimes.

Et puis il y a chez la fille cette passion du « savoir » et de l'école où elle peut enfin donner la mesure de son véritable désir, loin de celui de sa mère. A moins que la mère ne continue, là aussi, de vouloir téléguider sa fille, il y a des chances pour que la petite fille « aime » vraiment l'école comme lieu de réalisation personnelle.

Toutes les maîtresses vous diront que ce sont les filles qui, en primaire, constituent le peloton de tête de la classe, les garçons paraissant au même âge beaucoup moins motivés pour apprendre et beaucoup moins curieux. Quand même, la curiosité n'est pas toujours un vilain défaut! C'est une des premières vérités que la fille entend à l'école où on l'engage à chercher et deviner une réponse. Elle trouve cela passionnant : il y a si longtemps qu'elle cherche seule sa propre vérité de fille!

Est-ce un phénomène habituel que l'on rencontre là et peut-on dire que dès la naissance les filles sont plus intelligentes que les garçons?

Non, nullement. Des tests pratiqués sur des nouveau-nés donnent les mêmes résultats pour les deux sexes. Mais l'écart d'éveil entre l'un et l'autre paraît commencer dès la première année, la fille étant propre et indépendante plus vite que le garçon, la fille parlant plus tôt que le garçon, la fille cherchant à aider sa mère ou à s'occuper du petit frère dès l'âge de deux ans. Nous l'avons déjà vu, l'activité des petites filles est très grande : inquiète de ne pas ÊTRE une femme avec un corps sexué, la petite fille FAIT tout pour avoir l'air d'en être une, ce qui est pour elle un véritable accélérateur intérieur.

C'est de ce puissant désir de vouloir « être comme » que va découler l'étonnante facilité de la fille à intégrer le dire de la maîtresse. Dans ce dire, elle découvre une tout autre façon de juger le monde que celle de la mère : la façon mathématique, la façon écrite et littéraire... La petite fille apprend en classe qu'elle a une longue histoire racontée dans tous les livres de lecture... Que l'héroïne s'appelle Sophie, Marianne ou Cécile, elle est AUSSI une petite fille.

La classe est considérée par la fille comme un nouveau FAIRE valorisant, et sa réussite scolaire, qui tient à la richesse de son imaginaire, est un des premiers atouts de sa vie. « Oh! elle travaille bien à l'école » est le premier satisfecit qu'elle considère comme lui appartenant, puisque la classe, maman n'y est pas...

Cette précocité et cette curiosité, plus grandes chez la fille que chez le garçon, vont lui demeurer jusqu'à l'adolescence où les signes évidents de féminité de son corps vont lui prouver qu'elle est bien une FEMME. A partir de là, une partie de ses énergies va investir ce corps devenu désirable et tant regardé par son copain de classe. Elle perdra bien des heures à se regarder dans la glace, à se demander si un tel la trouve jolie, l'aime, etc. Elle est enfin redescendue sur terre!

Voulez-vous dire que cette intelligence féminine n'est que feu de paille dans la vie d'une femme?

Pas obligatoirement. Tous les enseignants et chercheurs continuent de constater les performances scolaires des filles par rapport aux garçons.

Relevée dans *L'Express* de janvier 1989, une déclaration du Pr Jean Guichard : « Toutes les études le montrent : les filles obtiennent de meilleurs résultats dès le cours préparatoire. Elles redoublent moins fréquemment que les garçons et confirment leur avance au collège. »

« D'abord à âge égal, leur maturité est plus grande. Les filles sont plus dociles, mieux adaptées à l'institution scolaire », explique Robert Baillon chercheur au C.N.R.S.

Mais il faut noter qu'au bac on les retrouve à peu près à égalité avec les garçons et qu'elles sont pour la plupart dans des sections littéraires, ce qui se confirme à la faculté. Les filles règnent sur les lettres et les sciences humaines comme si continuait de les intéresser de manière privilégiée l'histoire humaine : leur histoire en somme.

Bien que vivant apparemment dans les mêmes conditions familiales filles et garçons sont-ils pris dans un contexte tel que leurs différences ne peuvent que s'accroître?

On n'ose presque plus le dire depuis que les féministes l'ont si cruellement relevé, mais c'est toujours l'entourage de l'enfant qui accentue la différence entre fille et garçon. Alors qu'on attache de plus en plus d'importance à l'égalité des droits et des salaires entre hommes et femmes, on continue à inscrire l'inégalité au plus profond d'eux-mêmes dans leur famille, quand ils ont de zéro à cinq ans et que la mère, qui ne VOIT pas du tout sa fille et son garçon de la même façon, se trouve chargée des deux!

Nous venons de voir comment la petite fille, dans ses premières années, perçoit et, le plus souvent, refuse le projet féminin maternel avec, pour seul antidote à son conflit avec la mère, l'amour – éventuellement – donné par le père. Puis, comment, pendant la période de latence, ce conflit se trouve refoulé, grâce à une situation d'égalité sexuelle avec les autres filles.

Cette période de paix relative entre fille et mère va brusquement céder sous la pression des hormones de l'adolescence qui transforment la petite fille en FEMME. Alors, se pose à nouveau dans son intégralité première la question d'être ou non une femme COMME la mère... Mais n'anticipons pas, tout cela va vous être expliqué et vous allez pouvoir mesurer à sa juste valeur le poids des fantasmes maternels dans l'existence d'une femme élevée par cette seule mère...

Point de vue gynécologique

La petite fille perçoit la différence des sexes entre quinze et dix-huit mois : elle remarque le sexe de son père, voit la toison pubienne de sa mère et se demande ce qu'elle a, elle. Elle se regarde accroupie, elle se met devant une glace, mais elle ne voit rien à cet endroit, parce qu'il n'y a rien de visible.

Dès qu'elle le peut, elle parle de ces choses qu'ont le père et la mère, elle fait voir qu'elle n'est pas comme eux. C'est à la mère de lui expliquer ce qu'il y a dans sa fente et ce qu'est ce petit bouton si sensible. Après avoir été celle qui éveille la sexualité de l'enfant, la mère doit être celle avec qui la petite fille comprend comment le sexe est fait et à quoi il sert.

En effet la petite fille par la marche et la parole est devenue capable de toucher les objets et de questionner sur leur utilité. Il en est de même pour le sexe qu'elle peut toucher ou frotter contre quelque chose de doux. Ses parents n'interrompront pas cette sexualité **active**, car l'enfant devient actif en tout et on ne lui interdit que les choses dangereuses. Or toucher son sexe fait du bien parfois à la petite fille en lui rappelant le temps délicieux où le plaisir partagé venait des parents...

L'activité d'**orale** devient **anale**, c'est-à-dire que l'enfant, en plus de mettre dans sa bouche les objets pour les reconnaître, peut faire quelque chose de chaud dans sa couche. Il est content de cette sensation qu'il peut favoriser ou se refuser et ennuyé que juste maintenant ses parents veuillent lui prendre ce plaisir. Il faut comprendre l'enfant qui a plaisir à **faire, attraper, serrer, écraser,** toutes choses qu'il peut réaliser avec d'autres matières que les selles : l'eau et la terre sont ses plus solides joujoux. Tant pis pour ses habits : il a besoin de jouir de sa **domination**, lui qui sort d'être dominé!

L'enfant au cours de sa deuxième année passe du stade de l'impuissance au stade de la surpuissance... Mais, attention, les parents ne doivent pas accepter d'être les objets que l'enfant domine à coups de chantage ou de caprices! Le parent est celui qui ne domine plus l'enfant autant qu'avant, mais que l'enfant ne domine pas et ne mène pas par le bout du nez...

De domination en domination, l'enfant atteint l'âge de 2 ans ou 2 ans et demi où, à l'école maternelle, il peut se confronter à la puissance des autres enfants... Il devient sociable et consent à partager le pouvoir, à obéir à un ordre, à participer à un jeu. Votre petite fille se montre particulièrement douée pour la participation scolaire.

Il se peut que les conversations et jeux autour du sexe intéressent plus ou moins longuement l'enfant. C'est un signe qu'il cherche à vérifier si les autres sont semblables à lui ou différents. C'est la curiosité qui est en marche plus que la sensualité.

Moins l'enfant a compris les explications parfois vagues de ses parents, plus il cherche à comprendre la vérité avec ses pairs, les enfants du même âge ou d'âge légèrement supérieur. Plus l'enfant a été correctement et clairement mis au courant par ses parents, plus il est défait de ce questionnement et peut s'ouvrir à des découvertes autres, en particulier les nouvelles acquisitions scolaires, qui sont au départ orientées vers l'exploration de l'univers où vit l'enfant.

Le silence hormonal est **total** et, de tout l'appareil génital présent, la fillette ne perçoit que l'extrême sensibilité autour de la vulve et du clitoris. La masturbation perd un peu de sa fréquence car l'enfant se dépense physiquement dans des jeux sociaux qui l'intéressent bien autrement, cependant elle peut subsister de façon intermittente ayant toujours un effet de rassurement bénéfique sur l'enfant qui retourne alors à la béatitude des caresses faites autrefois par la mère ou les parents.

De 4 à 10 ans la petite fille met tout son intérêt aux découvertes et aux apprentissages scolaires ainsi qu'aux jeux qui se constituent par rapport à une loi. Tout paraît s'organiser logiquement dans la tête de la fillette et le problème d'être « celle qui n'a rien de visible » disparaît au bénéfice de celle qui « réussit avec sa tête ».

La fillette de 4 à 10 ou 11 ans traverse une période de calme sur le plan du corps appelée période de **latence**.

Cette période sera interrompue par la brusque croissance de la puberté où la fillette voit son corps changer et comprend que bien d'autres choses vont changer en elle avant qu'elle ne soit **femme**.

Nous retiendrons :

De 13 mois jusqu'à la puberté, un seul conseil : Soyez attentif à ce que vous dit l'enfant, répondez à chacune de ses questions en toute franchise, mais avec des mots adaptés à son âge.

C'est de votre attitude sereine au cours de cette période que dépendra toute la confiance sexuelle que vous accordera l'enfant, et toute la **confiance** qu'il vous sera nécessaire de posséder pour pouvoir l'aider à ses moments difficiles.

Chapitre 3

Adolescence

Mère et fille s'étant mutuellement « déçues » peut-on espérer un rapprochement au moment où le corps de la fille devient comme celui de la mère ?

Eh bien non, pas vraiment... Car si la petite fille a été comme il fallait « être » pour ne pas déplaire à sa mère et ne pas risquer de la perdre, le fait de voir poindre sur elle les mêmes atouts sexuels que ceux de la mère pose à nouveau dans son intégralité le problème de se conformer ou non au désir de l'autre. La question marque même une gradation : « Est-ce que ma mère va " aussi " régenter mon adolescence ? »

Si la petite fille a été réduite à être la « poupée » de sa maman, pour avoir quelque chose de « satisfaisant » aux yeux de celle-ci et être acceptée d'elle, maintenant que le corps commence à porter des signes visibles et reconnaissables par tous, est-ce encore nécessaire de rechercher l'approbation maternelle ? Est-il besoin d'être reconnue femme par la mère, quand tout le monde s'accorde à dire que Françoise a beaucoup « changé » depuis quelque temps ?

La réponse de l'adolescente est NON, ce n'est plus nécessaire : « Je n'ai plus besoin d'obéir, ni de correspondre à l'idée que maman peut se faire de moi. » L'opposition jusque-là avait pris des chemins détournés. Elle va maintenant se manifester clairement envers la mère qui en sera la première étonnée et peinée car le plus souvent, abusée par la période de latence, elle n'a pas vu l'orage s'accumuler au-dessus de sa tête...

Ainsi la mère voit se dresser devant elle une petite furie qui répond vertement, s'oppose à toute suggestion maternelle, en un mot n'en fait qu'à sa tête et fuit la maison le plus souvent possible au bénéfice des « copains »...

La mère n'a plus qu'à accepter si elle ne veut pas à son tour risquer de perdre totalement sa fille?

Il n'y a pas d'autre solution. Il est bien fini le temps où la petite fille vivait dans les jupons de sa maman! Il était plus facile autrefois de croire au leurre de la fille soumise que de reconnaître aujourd'hui cette adolescente grincheuse... Et la mère se prend à regretter le passé qui ne reviendra plus... En fait, après le recours à la mère lors des premières règles, l'adolescente va changer de cap très rapidement et « se fermer » complètement à cette mère, comme pour lui dire : « Mon enfance a été TON affaire, mais ma vie de femme sexuée sera LA MIENNE. »

Le changement de cap est-il si rapide?

Il se préparait depuis un certain temps. La fille de huit ou neuf ans vivait déjà plus avec ses copines qu'avec sa mère et se montrait plus intéressée par la réussite scolaire que par la vie à la maison. La période de latence lui avait permis d'écarter progressivement les problèmes de similitude de corps avec sa mère au bénéfice des similitudes de tête avec les filles de son âge, sous la houlette d'une maîtresse qui se présente plutôt comme modèle de femme intelligente que comme rivale physique.

La fille de dix ou onze ans est une fille qui a une certaine indépendance personnelle. Elle vit essentiellement entre le sport, l'art et l'école, sans compter les camps de vacances où, loin des siens, elle peut se dégager des contraintes et habitudes de sa famille en général et de sa mère en particulier.

Lorsque le premier signal de la puberté se fait jour, sous forme d'une croissance accélérée, l'adolescente, d'abord un peu surprise, est tout heureuse de se comparer à ses camarades. Elle agit de même pour la croissance plus secrète de ses seins.

Ce qui est important, c'est que si elle envisage avec joie le changement pubertaire qui la maintient dans la comparaison rassurante avec ses pareilles, en revanche elle s'inquiète de voir ce corps, avec lequel elle a vécu dix ans loin de la mère, prendre la forme de *celle-là même* qu'elle avait écartée comme « mauvaise » puisque ne lui ayant pas donné d'emblée ce qui l'avait faite « femme ». Que va-t-elle faire de ce rapprochement dangereux avec une mère qui paraît n'attendre que cela pour renouer avec sa fille?

De plus, ce changement est IMPOSÉ du dehors par les hormones. C'est une évolution inévitable à laquelle on ne peut s'opposer qu'en devenant anorexique et en refusant ainsi au corps de se développer normalement.

La fille veut bien devenir une « femme » comme ses amies, mais surtout pas une femme comme sa mère, car il y a longtemps qu'elle a renoncé à l'identité de corps avec cette femme-là. La fille ne peut donc accepter que d'être une femme « PAS COMME LA MÈRE » et c'est cela qui va rendre l'adolescente opposante à tout ce qui vient de cette mère.

L'adolescente serait donc le moment de rapprochement avec les filles du même âge et l'éloignement d'avec celle qui n'a ni le même âge ni le même corps, puisqu'elle a trente-cinq ou quarante ans et quelques kilos de plus...

Oui, et d'ailleurs, curieusement, à ce tournant identificatoire de la puberté, il arrive que la fille adopte comme mère-substitut la mère d'une de ses amies, la mère de sa cousine, bref, une femme! Mais qui ne soit pas celle avec qui elle a souffert de comparaison dans l'enfance. Elle montre bien par là qu'elle ne refuse pas la femme qui pointe en elle, mais celle qui pourrait *ressembler* à l mère.

Cela n'est-il pas terrible pour la mère qui n'attendai que la réconciliation, à l'occasion du changement phy sique de la puberté?

Oui, c'est terrible pour toutes les mères, il faut qu'elle sachent que cela peut arriver, arrivera, que c'est le chemi normal de la fille à l'adolescence. La mère ne doit pa oublier que, sans le vouloir, en gardant l'éducation de s fille pour elle toute seule, elle a multiplié par dix le resser timent de l'enfant qui souffrait d'infériorité avec elle alors qu'avec son père elle aurait apprécié sa différence Les femmes doivent comprendre ce principe éducatif for damental : l'enfant a besoin d'un repère de même sex auquel se comparer, et d'un repère de sexe différent o œdipien avec lequel ressentir la différence.

L'infériorité, la mère n'y a pas pensé; elle a cru qu'ave des explications, elle ferait vivre l'enfant au futur. Mai l'enfant a besoin de présent et c'est ce qui arrive enfin à l puberté : le présent envahit le corps, comme différenc visible et appréciable par l'homme. Ce que la mère n'a pa pu donner à l'enfant de trois ans arrive enfin, mais ce n'es pas à la mère que la fille le doit.

L'adolescente a envie d'utiliser ses nouveaux atouts san en référer à sa mère : la fille de quatorze, quinze an devient provocante, dragueuse, aguichante : elle veut tes ter le pouvoir de ce nouveau corps. Elle cherche à l'appri voiser parce que son inconscient a intégré un autre corp plat et rose et ne sait que faire de celui-ci qui est dessiné mammelonné, délié. La fille a raison, c'est bien en mesu rant ses chances de séduire l'autre qu'elle fera de ce nou vel arrivant un allié. Elle ne séduit pas pour « prendre » o pour « garder » l'autre; juste pour l'émouvoir. Elle ne sau rait que faire de l'amour à cet âge, à moins que ce ne soi une parodie d'amour, une revendication vis-à-vis de adultes... Les mœurs des adolescents ont quelque chos d'impudique : ils veulent montrer qu'ils ont AUSSI u corps.

L'adolescente ne peut-elle donc pas arriver à tourner la page avec sa mère?

Non, sur le plan inconscient, jamais aucun de nous n'arrive à « mettre de côté » son enfance, si gênante soit-elle... Il faut faire avec son passé et l'intégrer à l'avenir. C'est la mère qui a donné à sa fille l'habitude de séduire : il fallait la séduire, elle, en se conformant à ses exigences de la « bonne » petite fille. La fille, aujourd'hui, montre qu'en effet elle peut séduire, mais avec d'autres moyens.

Finalement, la seule avec qui elle peut parler de tout cela, c'est une fille du même âge qui traverse la même métamorphose qu'elle. Vous ne devez donc pas vous irriter de voir votre fille découcher pour aller se réfugier dans la chambre ou même le lit de sa meilleure amie avec qui elle parlera longuement dans la nuit... De sa mère... D'elle... Des garçons...

C'est, en même temps, le début de la véritable amitié entre filles. Avec la mère, le rapport était trop inégal pour que la fillette se sente « la même »! Maintenant, avec une autre adolescente, les corps pourront être exhibés, comparés, caressés; il peut y avoir une période de relations physiques extrêmement tendres et sensuelles sans véritable relation sexuelle. C'est une mise en confiance avec le corps de l'AUTRE qui n'a pas pu se réaliser avec la mère. C'est le début de l'homo-sexualité latente entre femmes.

Le besoin d'amitié est intense à cet âge. Souvent, bandes de filles et bandes de garçons se fréquentent, mais c'est toujours en bande, chacun s'appuyant sur son propre groupe sexuel. S'il y a quelque aparté, c'est toujours avec l'assentiment plus ou moins officiel du groupe qui a ainsi pris le relais de la loi familiale.

L'adolescence est le moment où l'enfant refusant la loi parentale s'invente d'autres lois, qui n'ont comme caractéristiques que d'être différentes de celles des adultes, ce qui mène parfois à la délinquance, au vol ou à la drogue, perçus comme lois antisociales donc antiparentales.

Je me souviens très bien de ce temps-là et comme j
m'appuyais sur le clan des filles pour avoir un assenti
ment féminin, sur le clan des garçons pour glaner u
regard ou une parole prouvant ma féminité.

Oui, curieusement, à l'adolescence les jeunes s
recréent des sortes de famille où ils peuvent faire à la foi
de l'homo-sexualité et de l'hétéro-sexualité, sentimentale
le plus souvent. Ils recréent somme toute ce qu'ils n'on
pas eu du temps de l'enfance avec la seule mère. La fill
se trouve dans une position particulière par rapport a
garçon : elle attend de lui qu'il la narcissise par ses parole
(je rappelle que lui n'a pas ce besoin : il a été installé dan
le narcissisme par sa mère, alors que la fille ne l'a pas ét
par son père). Ce que dit alors un garçon est parfois beau
coup trop important pour la fille.

C'est exact. Comme les premiers regards et les pre
mières paroles masculines ont compté pour moi! mais j
les mettais toujours en relation avec le peu ou le pas d
tout que m'avait accordé ma mère, c'est elle que j
condamnais alors...

C'était un effet de vos sentiments inconscients. Vous er
vouliez bien à votre mère, pas pour « le peu » qu'elle vou
avait donné, mais pour « la manière » dont elle vous l'avai
donné : elle vous avait aimée « sans le père ». C'est de cela
que la plupart des adolescentes tentent de se remettre. A
la suite d'une enfance passée essentiellement avec la mère,
l'adolescente lui en veut de l'avoir maintenue loin de tout
ce qui était mâle, alors qu'elle-même, la mère, jouissait
largement de sa position de « femme de ». La première
revanche que prend la fille sur sa mère a lieu quand elle
« sort » avec un garçon. D'ailleurs, écoutez bien ce mot
qu'emploient nos jeunes pour qualifier le flirt : ils « sortent
ensemble », ce qui veut dire qu'ils sortent d'une structure
(sans doute familiale) pour entrer dans une autre (priva-
tive). Avec son premier flirt, la fille « sort » de sa relation

avec sa mère. Elle peut l'annoncer comme quelque chose de normal et d'attendu ou elle peut le taire et en faire son jardin secret; elle prend silencieusement une vengeance tardive contre la mère, ou elle peut agresser celle-ci par une tonitruante déclaration de victoire : « D'abord, je sors avec Jean-Luc ! »

Le comportement de la fille à ce moment-là va dépendre de la relation plus ou moins confiante qui existe entre les deux femmes.

Est-ce que la relation mère-fille à cet âge est toujours conflictuelle ?

La relation adolescente est de type conflictuel car la fille, alors, a des atouts nouveaux à jeter dans une bagarre ancienne et le plus souvent dépassée, mais qui a laissé des relents d'agressivité inconsciente chez les deux partenaires. C'est le moment de la vie où l'on voit clairement que la rivalité gêne la relation et que cette rivalité n'est pas « oubliée » chez la fille. Les arguments du genre « de toute façon tu n'es pas dans le coup » ou « tu grossis ce n'est pas beau » ou « tu t'es pas regardée dans une glace » pleuvent. Ce type d'arguments situe bien le lieu du conflit. Autrefois, la mère s'est servie du *corps* de sa fille pour réaliser son désir, son rêve identificatoire; aujourd'hui, la fille s'en prend au *corps* de sa mère et lui montre que, désormais, avec son nouveau *corps*, elle la dépasse.

Ce conflit va-t-il durer ou est-il temporaire ?

Une fois de plus, cela va dépendre des ressentiments profonds de l'adolescente envers une mère plus ou moins possessive dans la première enfance. Dans la plupart des cas, la rébellion durera quelques mois ou quelques années et fera place à un nouveau rapport d'égalité, dès que la fille pourra annoncer qu'elle est devenue « aussi » objet d'amour pour Pierre ou Paul. Mère et fille se trouveront enfin dans des situations comparables et ce pour la première fois.

Mais dans bon nombre de cas, l'adolescence sera vécue comme opposition définitive à des parents qui ont été ou sont trop exigeants et la distance prise à ce moment-là deviendra peu à peu un abîme entre les deux femmes. Certains événements exceptionnels pourront donner l'illusion d'un rapprochement, mais celui-ci ne sera jamais qu'une pause en attendant le prochain accrochage. Que de filles quittent précipitamment et à la première occasion le toit sous lequel elles étouffent! Combien de femmes ont reconnu chez moi s'être mariées avec le premier venu pour « partir » et fuir leur mère!... Ce sont des femmes dont la révolte pubertaire se poursuit indéfiniment et qui vont de révolte en révolte, de divorce en divorce. Elles estiment toujours que l'Autre est responsable de leurs malheurs et beaucoup finissent sur le divan de l'analyste où elles découvrent enfin que ce qui a téléguidé toute leur vie est la relation négative à leur mère...

Freud avait raison de dire que l'homme, croyant hériter de la relation au père, hérite le plus souvent du ressentiment vis-à-vis de la mère!

L'adolescence est ainsi un point de repère essentiel sur le chemin qui sépare la petite fille de la femme. C'est le moment où l'on voit apparaître tout ce qui a été refoulé dans l'enfance et qui le redeviendra après la crise d'opposition.

Que la paix se fasse ou non entre mère et fille, il y a donc toujours un contentieux entre elles deux?

Forcément, puisque toute femme a plus ou moins désiré quelque chose de précis pour sa fille et que, à partir de là tout est enclenché. L'opposition à ce désir, qui a été refoulée dans un premier temps, apparaît à l'adolescence pour disparaître à nouveau de façon plus ou moins provisoire dès qu'une certaine identification au désir de la mère se fait jour, par exemple à travers le mariage ou la naissance des enfants.

*N'est-ce pas un peu triste pour les mères que d'avoir à
faire face à une telle remise en question ?*

Non, car il leur suffit de se reporter en mémoire à leur
propre relation avec leur mère. En se rappelant dans
quelle prison de silence elles se trouvaient au même âge,
elles comprendront combien il est préférable qu'une
enfant puisse régler ses comptes au grand jour avec ses
vieux ressentiments plutôt que d'avoir à se taire. Il est normal que la fille de douze ou treize ans ait des difficultés à
affronter une mère à qui elle a toujours obéi. Il est normal
qu'elle le fasse et qu'elle le manifeste, sans que sa mère
s'en formalise outre-mesure... L'agressivité d'une adolescente ne doit pas inquiéter la mère. C'est même tout le
contraire qui doit lui poser problème : si une fille de onze
ou douze ans n'a pas d'autre amie que sa mère et continue
de « tout » lui dire, cette attitude signifie que la jeune fille
craint d'affronter sa mère et refuse de s'assumer en tant
qu'individualité.

Aucune mère ne devrait se réjouir que sa fille la garde
comme confidente au-delà de la puberté. Un cas très
grave est représenté par l'état de symbiose prolongée que
l'on trouve entre elles au cours de l'anorexie de la jeune
fille : cette fille-là refuse (au contraire des autres) de
changer d'âge pour ne pas risquer de « perdre » une
maman qui, de façon évidente, vit au travers de sa fille et
n'a d'autre souci que la vie de sa fille... Dans l'anorexie, la
mère est partie prenante du système – qu'on peut comparer à celui des vases communicants – et la guérison de la
fille risque d'entraîner la dépression de la mère.

*Pouvez-vous nous parler plus amplement de ce symp-
tôme si mystérieux et qui ne cesse de prendre de
l'ampleur ?*

L'anorexique a pris un chemin tout à fait particulier
pour manifester son opposition à ses parents, c'est-à-dire
que la contestation habituelle de l'adolescence (certaines

anorexiques ont déjà été des bébés difficiles, mais d'autre
se révèlent brutalement à la puberté) ne lui suffit pas
qu'elle menace directement ses parents de mourir si rie
ne change.

Elle ne peut plus supporter sa relation avec ses proche
qui est souvent une relation de chantage : « Nous n
sommes heureux que si tu es heureuse. » On a souvent « to
fait » pour cette fille-là, ce qui explique accessoirement l
fréquence de ce symptôme dans les milieux aisés où l
parents ont tendance à « en faire plus » pour leurs enfant

L'anorexique elle-même cherche à comprendre les ra
sons de son comportement. Pourquoi est-elle affolée à l'idé
de grossir ? Pourquoi n'accepte-t-elle d'être vue que si so
corps ressemble à un bâton mal fagoté ? Mais elle ne peut n
trouver ni formuler la réponse – même si elle parvient à s
poser les questions de manière aussi explicite –, parce qu
celle-ci est du domaine de l'inconscient et n'apparaîtra qu
si la fille accepte de réfléchir sur elle-même : « Je ne veu
pas et je ne peux pas devenir la femme qu'ils attendent e
dont ils ont besoin pour se justifier en tant que bons parent:
Je ne peux être que celle qui leur fait honte et les dénonc
comme " mauvais parents ". »

Curieusement, sur le plan du réel, cette enfant est souven
très soumise, obéissante et gentille avec ses parents ; seul so
inconscient est cruel jusqu'à accepter de mourir plutôt qu
de leur faire plaisir avec quelques kilos de plus.

A la question : « Pourquoi as-tu peur de grossir », l'ano
rexique répond invariablement : « Parce que, au-dessus d
quarante-deux kilos, je ne me sens pas bien. » Et si o
pousse l'entretien plus loin, on aboutit inéluctablement :
la réponse : « Je voudrais qu'on ne me voie pas, je voudrai
être transparente, c'est-à-dire être là sans qu'on me voie.
Elle n'ose pas ajouter : « Sans qu'on me désire. » Que lui :
donc fait « le regard », pour qu'elle ne puisse plus le sup
porter ? C'est qu'elle a lu dans celui de sa mère et parfoi
aussi de son père à quel point sa vie les concernait et :
quel point elle « était tout » pour eux. Cette mêm
conjoncture rend le garçon « anorexique » sur le plan sco
laire et la fille anorexique sur le plan du corps. Mai
chaque enfant, devenu « objet » unique de ses parents

signale à sa manière son inconfort et son refus d'avancer si sa liberté ne lui est pas restituée.

A force de ne rien manger, l'anorexique finit par demeurer, en effet, à un poids qui la rend presque invisible : ses bras sont comme des ficelles, son corps reste celui, plat et sans formes, d'une enfant, et elle camoufle tout cela sous des vêtements larges et flous, remarquablement non sexués qui désespèrent tous ceux qui l'approchent. Ils la « souhaiteraient » tellement autre...

Pendant qu'elle néglige et maltraite son corps resté celui d'une enfant, toute sa libido (énergie à vivre) se ramasse dans sa tête. Elle devient furieusement intelligente, elle est de loin la meilleure de sa classe, mais elle se sent désespérément seule dans un combat que nul n'a l'air de comprendre... Sauf peut-être quelque psychanalyste, qu'elle vient voir en cachette des siens, et à qui elle révèle rapidement qu'elle est coincée entre son désir de vivre et le LEUR... Elle sera sauvée quand elle comprendra l'étroitesse de sa liberté et que sa mort même ne lui appartiendrait pas puisqu'elle ne l'a choisie qu'à cause d'EUX... Le thérapeute, avec son absence de désir quant à sa guérison, est le premier qui lui permettra d'avancer en terrain découvert et de récupérer peu à peu les lambeaux de sa jeunesse sacrifiée au désir parental.

Finalement l'anorexie serait une réponse de refus exagérée face à un désir de vie tout aussi exagéré de la part des parents ?

On peut conclure ainsi et se dire que le meilleur parent n'est pas celui qui attend ceci ou cela, mais celui qui vit lui-même ses propres désirs et n'a pas besoin de passer obligatoirement par son enfant. Sans parler des cas d'anorexie, nous pouvons tous citer de nombreux exemples de fillettes qui abordent la puberté avec une liberté déjà très entamée et le sentiment de ne pas pouvoir « échapper » à la malédiction d'être comme la mère le veut... Combien de fillettes vont « subir » cette puberté plutôt que de s'en réjouir ? Ce sont toutes celles qui, trop soumises à la mère, vivent ce moment comme passage obligé, « honteux », et non comme prise de possession de leur propre identité. Cette façon de subir ira des premières règles au dernier coït ! On peut dire que l'adolescence était en germe dans l'enfance et que, trop souvent, cette enfance a été employée à remplir les souhaits maternels...

On peut dire aussi que la génération des enfants élevés dans les privations de la guerre a donné une génération de parents particulièrement attentifs à prévenir le moindre désir de leurs enfants et plus soucieux que de raison du bien-être supposé de l'enfant (dont on sait déjà que le bonheur imaginé par le parent risque de lui couper la route).

Il est bien possible que le désir de compenser, par procuration, une enfance difficile en 1940 ait abouti à ces parents trop soucieux de leur progéniture en 1970. A cela s'ajoute la crise de 68 avec sa contestation du pouvoir et de l'autorité. Les parents, déjà exagérément enclins à « tout » donner à l'enfant, sont devenus incapables de manifester leur autorité sans en ressentir de la culpabilité. Dans un premier temps les enfants, menés par le « ils veulent » des parents, comblés matériellement par le « ils donnent », n'ont pas eu à vouloir ni même à souhaiter. Ils ont fourni des bataillons de mauvais élèves, curieusement « bons adolescents » aux yeux de leurs géniteurs puisqu'ils n'ont même pas pu s'opposer à des parents (« ils acceptent ») qui leur étaient à ce point dévoués.

Nous traînons encore bien des reliquats de cette étrange génération où les enfants n'ont jamais été bien sûrs d'avoir comme parents... des parents et non de vieux enfants qui avaient souffert quand ils étaient petits et demandaient au moins d'avoir maintenant des enfants beaux et gentils pour se consoler.

Le problème de la violence chez l'adolescent est souvent le fruit d'une opposition impossible vis-à-vis de parents prêts à toutes concessions pour éviter le conflit direct avec leurs enfants. C'est tout petit que le bébé a ressenti que ses parents feraient tout pour éviter l'agressivité de la part de l'enfant et ce n'est qu'à l'adolescence parfois que cette agressivité si longtemps refoulée trouve un chemin extra-familial (qui désole quand même les parents).

*L'adolescence est d'ailleurs devenue non plus un pas-
sage mais une classe d'âge à cause de la longueur des
études, n'est-ce pas?*

Oui, c'est pourquoi les premières expériences sexuelles
auront lieu pendant l'adolescence. Chacun souhaitera
qu'elles se passent dans les meilleures conditions possible,
c'est-à-dire, pourquoi pas, chez papa et maman et dans la
propre chambre de l'adolescent.

*A votre avis est-ce que ces conditions sont meilleures
que celles d'autrefois, où on faisait ça à la sauvette un peu
n'importe où et avec la trouille au ventre?*

Les conditions sont certainement meilleures, puisque les
adolescents font l'amour le plus naturellement du monde,
sans encourir ni blâme ni mépris, ce qui donne à la sexualité sa vraie place de jouissance propre à tous les humains
et pas seulement réservée au couple officiel...
La sexualité à cet âge doit être considérée comme une
fonction nouvelle et non comme un engagement définitif
entre deux êtres. Mais cela ne suffit pas toujours pour que
les adolescents éprouvent une grande liberté dans leurs
premiers échanges. Leur inconscient est encore souvent
celui d'un enfant, et nous nous souvenons du peu de prix
que la mère avait attaché à la sexualité de sa fille.

*Voulez-vous dire par là que les filles sont moins libé-
rées que les garçons au cours de ces premières rencontres?*

Oui, les filles dans l'ensemble ont eu du mal, après
une enfance angélique ou souhaitée telle par les adultes,
à accepter les signes de sexualité sur leur corps, mais
elles ont encore plus de mal à se servir de cette sexualité, dont parfois elles n'ont jamais parlé * avec personne. Leur masturbation, seule manifestation de leur

* 50 % des adolescents n'ont *jamais* parlé de sexualité avec leurs parents.

sexualité, étant restée en général secrète et honteuse, comment passer à la sexualité partagée avec un garçon, sans en avoir une sorte de honte?

Cette honte ne sera vaincue que si l'affectif, à ce moment-là, prend le pas sur le sensuel. L'adolescente a l'impression de se « donner » à un homme pour la première fois, il est indispensable qu'elle le désire au plus haut point. La fille fait l'amour dans un contexte beaucoup plus affectif que le garçon du même âge, simplement parce que l'affectif est tout ce qu'on a appris à cette ancienne petite fille « sage ».

C'est aujourd'hui une Belle-au-Bois-dormant (au sexe endormi) que le garçon a dans son lit. Ce corps, tenu au silence par une femme (la mère), se réveille tout doucement dans les bras d'un homme. Pourvu que l'élu soit tendre et charmant! Et puis, non seulement elle lui laisse tout pouvoir, mais elle sait qu'il va lui faire un peu mal lors de cette première pénétration, aussi est-elle un peu inquiète. Mais ils sont jeunes, pressés d'aller à la découverte, la grande découverte d'être l'un à l'autre, l'un dans l'autre et c'est ce qui va les aider à vaincre la peur d'avoir ou de faire mal. Quant à la jouissance, ce n'est peut-être pas aujourd'hui qu'ils la découvriront, mais ils auront déjà fait les premiers pas vers elle.

Que le garçon, l'affaire conclue, ne se rhabille pas trop vite. Qu'il lui donne au moins la jouissance des mots d'amour entendus pour la première fois, car ce sont ces mots-là qu'elle attend, depuis toujours. Ce sont les mots sur son corps qui lui ont manqué, c'est maintenant qu'il peut les lui donner. Lui n'a rien à dire, pas de mots pour dire... Il est gêné lorsqu'elle lui demande : « Est-ce que tu m'aimes? » Il ne sait pas, pas encore, mais il devine chez elle quelque chose qui n'est pas comblé par le sexe...

Déjà un tel écart entre une fille et un garçon?

Oui, et un écart que l'on va retrouver tout au long de la vie du couple. L'insécurité de la fille par rapport à son corps s'est installée en elle lors de ses premières années (passées sans contact direct avec le corps du père) de manière indélébile. Dès qu'elle rencontre un homme, elle lui pose la brûlante question œdipienne « Pourquoi m'aimes-tu ? ». Hélas la réponse ne sera jamais adéquate puisque l'homme ne pourra jamais répondre de la place du père : « Parce que tu es *ma* fille. » La femme continuera à poser des questions sur ses yeux, son nez, sa bouche, ses jambes, etc., c'est-à-dire toujours à côté du vrai problème, qui est là-bas, loin derrière, accroché à ce qui n'a pas eu lieu avec le père...

Alors peut-on dire que la fille est presque toujours déçue de son premier rapport sexuel ?

Ce n'est pas une règle absolue, mais vu l'attente physique et psychique qu'elle en avait, comparé à ses rêves de princesse espérant la venue du Prince charmant, l'acte sexuel lui paraîtra bien pâle. Il faut dire à sa décharge que la jeunesse et l'inexpérimentation des deux partenaires rendent la chose parfois cruellement réaliste et quelque peu besogneuse. Cependant, cette égalité dans l'inexpérience chez le garçon et chez la fille présente aussi un avantage. En effet, elle empêche que l'un ou l'autre ne s'installe dans un rôle de dominant ou de dominé (ce qui avait presque toujours lieu à la génération précédente, quand le garçon plus âgé avait déjà une expérience que n'avait pas sa partenaire) et chacun en retire l'impression qu'il a quelque chose à apprendre à propos du désir de l'autre, non comparable au sien. Finalement la déception est proportionnelle à la survalorisation de l'acte vu comme rencontre symbiotique idéale. Si le rêve s'est effiloché au cours de cette rencontre souvent peu romantique, au moins les adolescents en tirent-ils la conclusion que l'amour n'est donné à personne et que chacun doit l'apprendre.

Cette première rencontre est l'occasion pour les jeunes de comprendre que l'amour n'est pas seulement une affaire de corps et de désir, mais aussi de mots et de sentiments personnels à chacun. La liberté d'exprimer son désir est au moins aussi importante en amour que le désir lui-même.

Donc vous en concluez que le rapport sexuel précoce est une bonne chose même s'il est vu « décevant » pour la fille ?

Oui, car l'habituelle tendance de la fille à « rêver » ce qu'elle n'a pas, ne peut que la mener sur des chemins dangereux : d'abord à des illusions concernant la vie amoureuse, ensuite à des échecs répétés dus à la distance entre ce qu'elle imaginait et ce qu'elle trouve. Au moins, qu'elle fasse l'expérience de la réalité dès son adolescence et qu'on évite à tout jamais ces femmes qui, toute leur vie, cherchent l'homme idéal qui n'existe que dans leur tête.

Est-ce que le fait d'avoir recours à une contraception est un facteur de décontraction dès cette première expérience ?

Non, pas dans ce cas précis où deux jeunes veulent, pour la première fois, franchir la barrière des corps et abolir toute distance entre eux, car, comme nous aurons l'occasion de le voir plus loin, la contraception est une chose qui libère le corps, certes, mais entrave le fantasme d'union. Or, ces néophytes de l'amour prennent toujours le parti de l'esprit et des fantasmes, négligeant les risques corporels encourus. Il est rare que la première expérience se fasse avec préservatif, encore moins avec pilule, et ce sera le plus souvent la pilule du lendemain qui remédiera aux imprudences de Roméo et Juliette... Que voulez-vous, on ne peut pas penser à tout, tout de suite! C'est seulement à la troisième ou quatrième fois que la fille (plus en danger que le garçon, bien sûr) va réclamer la pilule anticonceptionnelle à son médecin, ou à une copine, ou à la mère de la copine, ou parfois à sa propre mère, si celle-ci est une femme évoluée et perspicace.

Il n'est pas facile de ménager tout à la fois rêve et réalité et c'est en général et pour l'instant la fille qui rêve le plus, alors que c'est elle la plus menacée par la réalité!

Donc cette première union sexuelle n'est pas prise à la légère comme on pourrait le croire?

Absolument pas. Elle est le lieu et l'aboutissement d'un long cheminement intérieur qui part de la sexualité de l'enfant, passe par la période de latence et d'endormissement, et aboutit ici avec un maximum de rêves élaborés en route. On se souvient toute la vie de cette rencontre même si on croit que ce jour-là il ne s'agit que de sexualité! On ne peut chez l'humain séparer le corps de la tête, c'est bien ce qui va compliquer tous nos rapports sexuels!

Est-ce que ces rapports entre adolescents peuvent laisser une marque indélébile dans leur tête s'ils se passent mal?

Non. L'être humain n'en est plus au stade où tout s'inscrit dans la chambre secrète du refoulement inconscient. Cette expérience deviendra un souvenir plus ou moins bon, plus ou moins mauvais, mais ne modifiera en rien la structure intérieure du sujet qui s'est déterminé bien avant, entre zéro et cinq ans. En revanche, si le rapport est un rapport incestueux, il est vécu comme quelque chose d'INTERDIT extrêmement culpabilisant et inoubliable consciemment pendant des années. Voilà quelque chose que les frères, les pères, les oncles, les grands-pères ne devraient jamais ignorer.

Si ces rapports se passent BIEN, est-ce qu'ils peuvent déboucher sur un échange plus total avec naissance d'un véritable amour?

Pourquoi pas? Cependant, l'immaturité affective des adolescents et leur fixation à leurs parents (en négatif comme en positif) qui occupe la plus grande part de leur capacité d'attachement les rendent peu disponibles pour un autre lien. Dans certains cas toutefois, où ce nouveau lien représente une réaction affective élevée contre des parents névrotiquement peu aimés, où la capacité d'attachement se trouvait depuis longtemps sans objet de fixation valable, le premier amour peut apparaître comme « salvateur » pour l'adolescent qui risque de s'y engager avec toute sa libido. Ces amours sont en général fortement névrotiques, mais il faut savoir que les plus grandes amours sont à base de névrose... On ne s'étonnera pas qu'elles soient particulièrement menacées dans la durée : quand on s'assied au-dessus d'un volcan, on s'expose aux fumerolles...

En conclusion cette adolescence n'est plus un simple état temporaire de rébellion contre les parents ?

Non, l'adolescence ne peut plus être appelée comme autrefois un « passage ». D'une part, elle débute de plus en plus tôt, la puberté étant de plus en plus précoce (phénomène physiologique d'évolution de la race). D'autre part, elle dure de plus en plus longtemps du fait de la prolongation de l'aide parentale (études, élévation du niveau de vie). Cette période va s'étendre sur huit ou neuf ans, c'est-à-dire un laps de temps assez long, au cours duquel, entre autres événements importants, fille et garçon sortent de la période de latence pour entrer dans la vie sexuelle, établissant ainsi le lien avec l'enfance.

C'est dans cette même période que les problèmes inconscients seront confrontés à la lumière du conscient et qu'une prise de position définitive par rapport aux parents sera prise. La fillette, comme nous l'avons vu, va devenir capable de « résister » à la mère et de reporter ses énergies ailleurs. Elle se sera posé la question essentielle : « Est-ce que je suis contente d'être une femme ? » et y aura répondu, soit par le désir de séduction, soit par le désir d'être invisible et non désirable comme l'anorexique.

Il est nécessaire que les parents acceptent à ce moment-là les fluctuations de comportement de l'enfant, car il s'agit de rien moins que de la façon dont il vivra à l'avenir par rapport à sa névrose personnelle.

Il y a donc toujours « névrose » chez l'enfant comme chez l'adolescent ?

Bien sûr, ce n'est pas une analyste qui vous dira le contraire! Nous sommes tous persuadés que l'art de vivre bien n'est jamais que l'art de cohabiter avec son inconscient... et avec sa névrose.

La puberté

La puberté est le premier grand événement de la vie d'une fille car, indépendamment de sa volonté et en l'espace de trois à quatre ans, elle voit son corps plat et lisse de petite fille se transformer en corps de femme dessiné, mamelonné et coloré... Tout cela sous l'influence d'hormones nouvelles qui vont transformer sa vie uniforme d'enfant en univers sexué et animé par les fluctuations de ses cycles ovariens. A partir de l'adolescence, la femme va voir sa vie réglée par l'horloge de ses hormones. Il est bon de savoir que le mécanisme a son origine dans le cortex et que toute perturbation affective importante peut avoir une influence sur la fabrication des neuro-hormones de la femme.

La puberté est un ensemble de modifications hormonales profondes entraînant des modifications physiques bien précises concernant la taille, les seins, le système pileux, les organes génitaux externes et internes.

Cette transformation corporelle survient à un âge variable selon les populations, les familles, les individus d'une même famille.

La taille

Le premier signe visible de la puberté est une poussée de croissance brutale que subit la fillette : quinze à vingt centimètres en trois ans, c'est beaucoup plus rapide que ne l'a été jusque-là la croissance de l'enfant. Ce phénomène dû à l'intervention des hormones de croissance donne à l'adolescente un aspect long et délié qui fait son charme, ou sa maladresse...

Cette croissance rapide va durer deux ou trois ans et se ralentir à l'approche des premières règles.

Les seins

En même temps que la poussée de croissance et sous l'effet des œstrogènes, le bourgeon mammaire de la fillette se transforme en une petite boule, très sensible au toucher ; l'évolution du sein va se dérouler sur deux ou trois ans, précédant toujours d'un ou deux ans l'apparition des premières règles.

Le système pileux

Peu après que les seins ont commencé à s'épanouir, les premiers poils apparaissent et vont continuer à croître pendant deux ou trois ans.

D'abord quelques poils isolés apparaissent sur les grandes lèvres, puis s'épaississent progressivement au cours des mois, pour dessiner le triangle pubien caractéristique de la femme. Celui-ci est définitivement constitué vers quatorze ou quinze ans.

Simultanément apparaît sous les bras de l'enfant un léger duvet qui peu à peu cède la place à des poils colorés formant la pilosité axilaire.

Organes génitaux externes

La **vulve** se métamorphose : les grandes et petites lèvres s'individualisent et se colorent, elles encapuchonnent en avant le **clitoris** qui augmente de volume et prend sa taille et sa forme définitive. La fente vulvaire **change d'orientation** : de la situation infantile, verticale regardant en avant, elle passe à la situation adulte, horizontale et regardant vers le bas.

La membrane de l'hymen s'épaissit et son orifice de forme variable mesure de un à deux centimètres dont les bords irréguliers viennent s'accoler pour la tenir fermée.

Organes génitaux internes

La **paroi vaginale** s'épaissit et s'organise en une série de plis étagés. Le milieu vaginal devient acide, ce qui sera son état normal au cours de la vie de la femme, et cette acidité (due au bacille de Doderlin) protégera le vagin de multiples infections. L'infection vaginale se marie toujours à une modification de l'acidité intérieure du vagin.

La **muqueuse vaginale** prend une couleur plus foncée et s'humidifie grâce aux sécrétions hormonales, qui ont pour fonction de maintenir constamment une certaine lubrification interne chez la femme. Celle-ci augmentera en cas d'excitation sexuelle directe ou indirecte : c'est ainsi que la jeune fille, sous l'effet de certains films, spectacles, mots ou lectures, se met à **mouiller** sa culotte, sans comprendre au début ce qui lui arrive... Son corps participe à ses émois psychiques : il donne le signal tangible que toute femme manifestera lors du désir sexuel : celui d'une lubrification accélérée.

Le **col utérin** augmente légèrement de volume et fait saillie au fond du vagin. Il est percé en son centre par le canal cervical (longueur : dix à quinze millimètres) qui fait communiquer l'utérus et le vagin. Le long de ce canal, une multitude de petites glandes sécrètent la glaire cervicale : liquide épais et incolore qui aura une fonction bien précise au moment de la fécondation.

L'**utérus** augmente de façon importante, sa forme et sa taille sont celles d'une poire. Bien que ses contractions soient involontaires et réflexes, elles sont les plus puissantes du corps humain.

Ce muscle épais abrite en son centre la cavité utérine, elle-même tapissée intérieurement d'une muqueuse appelée **endomètre**. Ce tissu s'épaissit au cours de l'adolescence sous l'effet des hormones, il va devenir capable de prolifération suivie de désquamation au cours de chacun des cycles menstruels qui ponctuent la vie d'une femme de 15 à 55 ans.

Les **ovaires** atteignent la taille d'une amande et vont devenir aptes à pondre leur premier ovule.

Les **trompes,** sorte de tubes creux qui assurent la liaison entre les ovaires et l'utérus, subissent elles aussi un accroissement de volume en diamètre afin de permettre le passage de l'ovule chaque mois.

SCHÉMA DE L'APPAREIL GÉNITAL FÉMININ

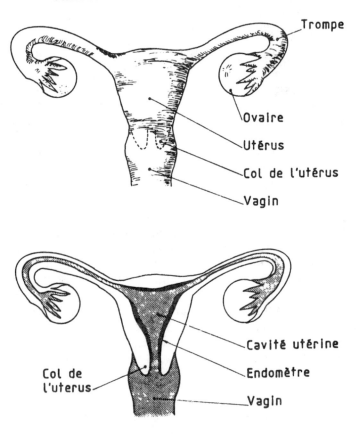

VUE EN COUPE

Déclenchement des premières règles

L'arrivée des règles signale que le cycle féminin se met en route, un ou deux ans après les signes extérieurs de transformation du corps de l'adolescente.

Le mécanisme du cycle féminin est complexe. Il prend naissance dans **l'hypothalamus** lui-même sous la commande des neuro-hormones venues du cortex. C'est dire que l'hypothalamus est sensible à tout ce qui se passe dans le cerveau et qu'il peut être directement affecté par les **émotions** et le *stress* qui peuvent en bloquer le fonctionnement et donc arrêter ou retarder le déclenchement des messages hormonaux qu'il est le premier à envoyer.

Dans les conditions normales, l'hypothalamus sécrète l'hormone LHRH qui a pour fonction d'exciter à son tour une minuscule glande située à la base du cerveau : **l'hypophyse**. Celle-ci réagit en produisant non plus une hormone, mais deux la FSH (folliculo-stimuline) et la LH (lutéothrope hormone).

Ces deux hormones quittent la région cérébrale à des moments bien différents du cycle et sont acheminées par voie sanguine jusqu'aux ovaires, où elles induisent, l'une la production **d'œstrogènes**, l'autre la production de **progestérone**.

SCHÉMA
DE LA FONCTION
HORMONALE

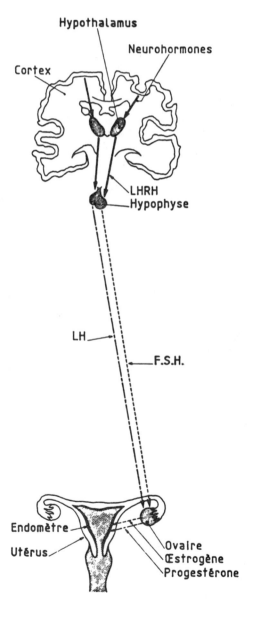

Hypothalamus

Neurohormones

Cortex

LHRH
Hypophyse

LH

F.S.H.

Endomètre
Utérus

Ovaire
Œstrogène
Progestérone

Ces deux hormones sont responsables de tout le déroulement du cycle ovarien et de la reproduction.

En effet les **œstrogènes** permettent chaque mois la transformation, à l'intérieur de l'ovaire, du follicule en **ovule** avec maturation puis ponte, c'est-à-dire ovulation au douzième ou treizième jour.

Après évacuation de l'ovule par l'éclatement du follicule, ce qui reste de ce follicule se transforme en **corps jaune**. Formation temporaire, le corps jaune sécrète, au niveau de l'ovaire, la progestérone, laquelle agit en synergie avec les œstrogènes dans la deuxième moitié du cycle sur l'endomètre (qui triple en épaisseur) en vue d'une éventuelle nidation.

En l'absence d'implantation de l'œuf, il se produit, le vingt-huitième ou trentième jour, une chute brusque des hormones commandée par l'hypophyse, ce qui fait cesser tout développement de la muqueuse utérine; celle-ci se désagrège, se décolle, et est éliminée sous forme de débris dans le flux des règles. Le cycle menstruel féminin suit exactement le fonctionnement hormonal et c'est ainsi qu'on peut distinguer :

1. La phase œstrogénique

Elle doit son nom à l'activité des œstrogènes, du premier au treizième jour du cycle : elle se caractérise par une sensation de bien-être général.

2. L'ovulation

Le follicule étant arrivé à maturité, sous l'influence des œstrogènes dans la première partie du cycle, il éclate et libère l'ovule à l'entrée de la trompe qui va l'aspirer et lui faire prendre le chemin de l'utérus. Ce moment est très bref, mais peut être ressenti très précisément par la femme; il est parfois accompagné d'une douleur dans le bas-ventre qui peut durer une demi-journée.

3. La phase progestative

Les restes du follicule éclaté se transforment au niveau de l'ovaire en corps jaune, qui va sécréter la progestérone :

La femme pendant cette deuxième partie du cycle ressent un

léger gonflement abdominal ainsi qu'une sensation de tension dans les seins : c'est la conséquence d'une tendance à la rétention d'eau dans les tissus, due à la double influence œstrogénique et progestative qui prépare le corps pour une éventuelle maternité.

4. Les règles

Comme à chaque nouvelle phase du cycle, c'est le taux d'hormones présentes dans le sang qui fait réagir l'hypophyse et, en l'absence de nidation, la production d'hormones est stoppée brusquement vers le vingt-septième ou vingt-huitième jour provoquant une destruction, puis une desquamation de la prolifération utérine qui s'élimine avec les règles.

SCHÉMA DU CYCLE OVARIEN

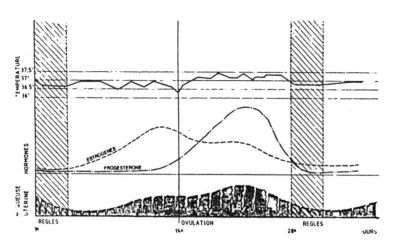

Installation du cycle
chez l'adolescente

Le cycle de départ est irrégulier pendant un an environ, la durée des règles variant de deux à cinq jours, ce qui est dû à une sécrétion hormonale encore irrégulière.

Les premières règles peuvent être douloureuses ou non. Certaines adolescentes se plaignent de maux de ventre, maux de tête et fatigue pendant les règles. Ces petits problèmes iront en s'atténuant...

Désir sexuel et adolescence

L'influence des hormones sur le désir sexuel est certaine et la jeune fille est sujette à des changements d'humeur imprévisibles qui correspondent aux périodes d'envahissement par les hormones. Certains garçons considérés la veille comme « inintéressants » peuvent tout à coup devenir le point de mire de l'adolescente qui commence à rêver d'amour, à bâtir des romans intimes et parfois à les écrire...

Le premier rapport sexuel

Il se produit en général plus tôt qu'à la génération précédente et a lieu pour filles et garçons entre quinze et dix-sept ans.

Empreint de crainte d'avoir mal pour la fille et de faire mal pour le garçon, il est plus souvent déclenché par la curiosité que par un véritable amour, rare à cet âge. La satisfaction orgasmique en fait rarement partie par suite de l'inexpérience des deux partenaires.

Risque de grossesse

Il faut souvent un an avant que se régularise l'ovulation, et la jeune fille peut être **fécondable** dès ses premières règles.

On ne recommande pas à cet âge la contraception locale qui se heurterait à l'ignorance de sa morphologie intime par la jeune fille elle-même. **Une seule contraception** est valable pour ces premiers rapports : la pilule prise le premier jour des règles précédant la rencontre sexuelle. Il suffit de prévoir un petit peu les événements... Dès la première prise de pilule, la contraception est efficace, mais il faut aller jusqu'au bout de la plaquette comme l'indique le mode d'emploi.

Le préservatif est un excellent mode de contraception qui protège en plus les partenaires contre les M.S.T. Mais, malgré la publicité faite autour de ce geste, combien d'adolescents sont capables de troubler l'émotion de la première rencontre avec quelque chose d'aussi réaliste ?

Nous nous rappellerons

L'adolescence de la fille reste un moment difficile de sa vie car à travers l'invasion de signes féminins sur son corps elle se retrouve face au problème, mis de côté pendant la phase de latence : « Serai-je une femme comme ma mère ? »

Chapitre 4

Amour

Prendre la plume et écrire ce petit mot-là, c'est déjà une gageure car le mot Amour commence par un A et nous fait croire à un commencement, alors qu'il n'est jamais que la suite de nos amours d'enfant... Marqué de la même couleur, des mêmes attentes, des mêmes rêves...

L'amour adulte n'est donc pas une situation nouvelle pour l'individu qui le rencontre?

Oh! Absolument pas, contrairement à ce que l'on peut croire. En effet, chacun des deux partenaires a connu une longue route amoureuse avant d'arriver au moment où il croit rencontrer celui qu'il attendait depuis toujours.

Bien avant ce jour, chacun de nous a connu depuis sa naissance toute la palette des sentiments amoureux: d'abord, de zéro à huit mois, l'état de symbiose parfaite qui continuait celle connue dans l'utérus. Tout ce qui est vécu par la mère est alors partagé avec l'enfant, à leur insu à tous deux : elle est angoissée, il n'est pas bien ; elle est détendue, il s'endort ; à trois mois elle lui sourit, il fait de même ; elle gronde, il se met à pleurer. Dès huit mois, nous connaissons tout du partage des émotions amoureuses... Puis, à partir de la reconnaissance du visage de la mère par les yeux, l'enfant commence à souffrir de « séparation », dès qu'elle quitte le champ de sa vue, de son odorat ou de ses perceptions spatiales : certains bébés qui se sont endormis auprès de leur mère ou de leur père, ne se réveillent-ils pas brusquement parce que le parent est en train de s'esquiver et n'a pas encore atteint la porte ? Ne sommes-nous pas déjà très sensibles à l'absence de l'autre ?

Pour faire revenir le parent absent, nous sommes capables de crier jusqu'au désespoir, capables d'appeler, capables de parler. L'enfant a donc vécu avec ses parents tout ce qui caractérise l'état amoureux de l'adulte : la symbiose de départ, la douleur de la séparation, les mots et les cris qui témoignent de l'impossibilité de vivre sans l'autre... L'ordinateur appelé « inconscient » a tout enregistré depuis le début et il se remettra en route au moindre signal...

Ce qui veut dire que la rencontre amoureuse est déjà une « vieille » connaissance ?

Oui, regardez deux amoureux qui s'embrassent : ne dirait-on pas qu'ils ont retrouvé le corps à corps fondamental et qu'ils ne vont plus pouvoir se séparer ? Ne sont-ils pas immobiles, comme figés physiquement pour une éternité, alors que leur esprit sait que cela va prendre fin ?

Ils n'ont pas plus besoin de paroles que dans les premiers jours de la vie, la chaleur du corps de l'autre se répand en chacun d'eux et apaise tout besoin : il leur suffit d'être « avec ». Pourvu que cela dure longtemps, longtemps ! Pendant que leurs souffles se mêlent, leurs inconscients (la partie d'eux-mêmes la plus archaïque, c'est-à-dire leurs souvenirs d'avant les mots) s'embrasent, leur faisant croire que ce moment est le même que celui d'autrefois, et qu'ils ont enfin trouvé celui, celle, qui peut leur rendre tout ce qu'ils ont perdu depuis si longtemps et qu'ils attendaient secrètement de retrouver un jour.

« Avant » et « avec », ces deux mots riment l'un avec l'autre dans notre inconscient : un bébé qui vit ses premiers jours « avec » un parent (quel qu'il soit) ignore la solitude et est en train de constituer, pour plus tard, son histoire « d'avant » sur le plan inconscient. Sans mots, sans paroles, sans véritable mémoire, la mémoire du corps enregistre que c'est bon. Par la suite, l'adulte n'a qu'un rêve : être « avec » comme « avant », c'est fondamental et caractéristique de l'être humain. Toute sa vie, il cherchera l'autre. Quel autre? Peu importe, l'un vous dit qu'il vit avec une femme, l'autre avec un homme, l'autre encore avec un enfant, le quatrième avec un animal et si de tous ceux-là aucun ne convient, l'homme vivra avec un Dieu. L'homme est fait pour vivre « avec », c'est ce qu'il apprend durant sa longue vie de nourrisson où tout lui vient de l'Autre.

Ce qui pose problème c'est qu' « avant » se passait avec maman et qu'il y avait une connivence en quelque sorte naturelle entre l'enfant et le parent, alors qu'aujourd'hui on veut cette même connivence avec quelqu'un qu'on n'a jamais connu, jamais vu, qui n'est pas de la même famille! L'amour a comme particularité de commencer par une douce illusion et de s'achever sur une cruelle évidence : l'autre n'est pas COMME nous.

Alors est-ce que les amours d'avant gênent par comparaison les amours d'après, ceux de l'adulte?

Même si cela était, qu'y pourrions-nous? Nous sommes les seuls êtres vivants à disposer d'un inconscient aussi complexe, c'est ce qui fait notre richesse et parfois aussi nos difficultés.

Il y a une différence évidente entre l'amour adulte et l'amour infantile : autant l'inconscient entre le parent et l'enfant était le même ou partagé, autant il est irréductible entre amoureux, puisque les ordinateurs inconscients des deux partenaires d'aujourd'hui n'ont pas enregistré le même film entre zéro et cinq ans. L'imagination seule nous fait croire que nous avons rencontré « le même » que celui que nous portions en rêve au fond de nous. Comme je l'ai déjà écrit dans *Les Enfants de Jocaste* * : « Depuis le stade du Miroir (huit

* *Les Enfants de Jocaste*, p. 126.

mois) où nous avons émergé de la symbiose avec la mère et découvert la solitude, chacun de nous attendait cet autre moment qui annulerait la dualité alors découverte, et rétablirait l'unité première. L'amour, c'est la tentative de repasser le Miroir avec quelqu'un d'autre, c'est annuler la différence, c'est renoncer à l'individu au nom de la symbiose... L'amour c'est le désir poussé à l'extrême d'une seule identité pour deux, c'est le passage en force du fantasme primitif d'unicité avec la Mère. »

Le moment de la rencontre amoureuse se caractérise par le sentiment très fort que l'être qui est devant nous est celui ou celle qui ressent la même chose que nous au même moment : un regard suffit parfois pour que nous ayons l'impression d'avoir été compris, de pouvoir nous retrouver dans l'autre. Dire « je t'aime », c'est le plus souvent dire ceci : « Je t'aime, toi dont le regard me dit que je suis bon (bonne). » L'Autre, dans l'amour devient un *miroir*, qui renvoie à chacun des deux amoureux une image narcissique valorisante, perdue depuis longtemps. Le temps de l'amour est un temps d'épanouissement de la personne grâce au renforcement *narcissique* qu'il représente pour chacun d'entre nous. Il y a, au moment de la rencontre, quelque chose qui se réveille en nous et qui est brûlant et exaltant comme la nouveauté. Nous croyons aimer pour la première fois, alors que c'est seulement la première fois que nous mettons des mots sur un émoi connu de nous depuis la prime enfance.

« Je t'aime » réalise le mariage du corps et de l'esprit dans la relation à l'Autre?

Oui, et c'est ce qui en fait la fragilité, car si un jour nous ne sommes plus d'accord avec la tête, bien souvent nos corps ne sont plus d'accord non plus... Inversement une panne des corps peut révéler une dissension secrète des esprits. Les sexologues ne commencent-ils pas par explorer le fonctionnement psychique du couple dans la vie journalière, alors qu'ils ont affaire en général au problème de l'oreiller?

L'inconscient est un moteur interne et invisible qui ne s'arrête ni jour ni nuit, ce qui peut expliquer les débordements du jour sur la nuit et inversement dans la vie du couple.

L'amour est sous la commande directe et permanente des fantasmes de chacun et les fantasmes sont des sortes de rêves compensatoires que chacun de nous a appris à fabriquer dans sa tête lorsqu'il était bébé et que quelque chose ou quelqu'un venait à lui manquer. Tout petits, par un travail spontané et interne, nous avons appris à parer au « Manque » et chacun, à la suite de manques différents, s'est créé peu à peu son OBJET IDÉAL, qu'il pare de toutes les qualités propres à le rendre heureux. Plus les manques ont été nombreux, plus les fantasmes sont importants et plus l'AMOUR est IDÉAL. Les grandes passions sont toujours le fait d'individus qui ont beaucoup souffert et qui ont mis tous les espoirs dans l'AUTRE...

Tout le monde sait que la grande passion n'est pas durable. Arrive fatalement le moment où l'un des partenaires n'est pas à la hauteur de l'attente de l'autre : « Il (Elle) n'est pas celui (celle) que je croyais... Alors il (elle) n'est RIEN. » Et en effet tout s'écroule d'un coup. A la plus grande flamme va succéder la plus froide des relations car brusquement la mesure est prise entre ce que l'on avait imaginé et ce qui est...

L'amour serait-il un leurre?

Non, pas vraiment, mais il commence toujours par une période plus ou moins longue d'effervescence chez les deux amoureux, dont on dit couramment qu'ils sont « tombés sur la tête », qu'ils sont « seuls au monde » ou qu'ils sont « aveugles ». Il est exact que, pendant cette période, les amoureux sont tellement occupés à chercher dans l'autre leurs propres rêves qu'ils en oublient la réalité autour d'eux...

Autrefois le mariage se situait là, en pleine période de rêve. Le voyage de noces faisait figure d'essai sexuel et même s'il s'avérait décevant ce n'était pas une raison de rupture suffisante, puisqu'il restait encore beaucoup à attendre de l'installation du couple, de la vie à deux, des enfants à venir... Tant qu'il reste quelque chose à rêver, l'inconscient, qui ne vit que de rêves, ne se décourage pas!

Mais comment expliquer que la longue vie à deux, la conception de l'enfant suivie de mariage des jeunes d'aujourd'hui, les mènent peu d'années après au divorce?

Vu de l'extérieur en effet un tel comportement ne paraît pas logique. Il y a tout lieu de se demander pourquoi il est nécessaire d'aller si loin, jusqu'à la conception d'un enfant en commun, pour constater que sa venue, elle non plus, ne crée pas la symbiose entre les parents. Parfois, l'enfant va même servir de détonateur, révélant un désaccord profond gardé secret jusque-là. L'enfant n'a pas eu la place souhaitée pour un enfant, il a servi d'instrument pour que chaque parent comprenne et voie qu'il s'était trompé. Le devenir de l'enfant paraît un problème mineur face à celui des parents qui allaient de rêve en rêve, espérant toujours améliorer leur relation amoureuse et qui réalisent enfin devant ce berceau que rien n'a changé.

L'inconscient est à la base de l'Amour, il pousse les amoureux de plus en plus loin, la symbiose paraissant être toujours à venir et soumise à certaines conditions, telles que le fait de vivre ensemble, d'avoir un enfant, de se marier, les choses n'étant pas toujours mises dans le même ordre d'ailleurs... Chaque nouvelle étape est attendue comme un moyen de rebondir et ainsi, en allant de rêve symbiotique en rêve symbiotique, on finit souvent par créer les premiers jalons d'une cellule familiale, dont je ne suis pas sûre qu'elle devienne jamais le lieu idéal des rêves, alors qu'elle est souvent le révélateur de certaines dissensions passées jusque-là inaperçues. La vie de parents et d'époux demande une entente réelle sur des points précis, tels que l'éducation, la façon de vivre journalière, les amis, les loisirs, les besoins culturels, l'argent... Toutes choses qu'on peut se dispenser d'affronter dans le « no man's land » que représente la vie des jeunes amoureux dans un studio. L'amour très souvent ne RÉSISTE pas au mariage réel, organisé et routinier.

Si autrefois le mariage pouvait *se passer* de l'amour puisque tout ce qui l'entourait avait été organisé dans l'intérêt des deux époux, aujourd'hui le mariage *ne repose que* sur l'amour spontané entre les individus, c'est-à-dire sur leur attirance inconsciente. Rien d'autre ne sera organisé autour du couple, qui devra vaincre avec l'inconscient toutes les difficultés réelles qui vont se présenter : disparité de milieu, de culture, de race même! C'est beaucoup! Et comment compter sur la logique de la passion pour régler les problèmes de la réalité?

Si je comprends bien, ce que nous appelons Passion vous l'appelez Inconscient... Il est certain qu'en ce moment c'est la première pierre de l'édifice familial, aucun couple ne supporte de continuer longtemps une relation qui n'est pas fondée d'abord sur l'Amour, donc sur l'Inconscient...

Absolument, et c'est ainsi qu'on relève actuellement un taux de divortialité de un couple sur deux dans la région parisienne et de un sur trois en province. Il n'est pas rare de rencontrer des hommes et des femmes (surtout des femmes) qui, à trente ans, ont déjà été mariés, ont un ou deux enfants, ont divorcé et constituent ce qu'on appelle la famille monoparentale. Celle-ci est le résultat du couple éclaté et non pas d'un désir bien établi de vivre avec des enfants sans conjoint, comme on voudrait nous le faire croire. Toutes les sociologues vous le diront : la famille monoparentale est la concrétisation de l'impossibilité éprouvée de vivre en couple.

L'enfant est très souvent la première victime de la passion brûlante, puis déchirante et enfin mourante entre ses parents. Il a du mal, beaucoup de mal à ne pas s'en sentir responsable : en consultation, l'enfant de divorcés est souvent muet sur ses propres difficultés, craignant trop d'en entraîner d'autres chez ses proches par ce qu'il pourrait dire.

Tous les enfants de divorcés portent une marque spéciale, celle de la rupture. Non seulement ils ne connaissent pas la symbiose rassurante avec les parents, mais ils ont profondément intégré la rupture. C'est elle qui va les poursuivre toute leur vie.

Les statistiques nous disent que les enfants de divorcés ont de grandes chances de divorcer à leur tour, mais on sait moins qu'ils ont acquis une plus grande sensibilité que d'autres à la dissension et qu'ils la supportent moins que d'autres. De ce fait, ils sont plus exigeants et plus vite découragés devant les difficultés inhérentes au couple.

Le divorce couronne-t-il l'échec des fantasmes des individus?

Absolument, le divorce est d'autant plus probable que la personne attend plus du mariage et de l'amour. Et c'est, à l'évidence, la femme qui en attend le plus – à la suite d'une enfance passée loin de l'homme – puisque c'est elle qui, dans soixante-quinze pour cent des cas, demande le divorce.

Les femmes sont plus déçues par le couple et le mariage que les hommes dans la mesure où les petites filles, aimées « sous condition » par leur mère, se sont mises de bonne heure à *rêver de l'homme* qui viendrait plus tard et qui n'est autre que le Prince Charmant : celui qui aime sur un simple REGARD.

Combien de femmes veulent être aimées ainsi, sans aucune condition préalable! Et cependant elles sont les premières à demander un jour à leur amoureux : « Dis-moi pourquoi tu m'aimes. » Cette question embarrasse beaucoup l'homme qui, justement, aimait de façon globale et n'avait jamais réfléchi aux raisons justifiant son amour...

La femme passe des contes de fées de son enfance aux amours imaginaires de l'adolescence, puis au vertige du premier amour, la constante féminine étant d'attendre *tout* le bonheur de l'homme.

Les lectures des femmes sont très révélatrices à cet égard : de *Cendrillon* à *Autant en emporte le vent,* de *La*

Belle et la Bête à *L'Amant de lady Chatterley*, en passant par toute la gamme des romans d'amour de Delly ou de la collection Harlequin, achetés pour lire dans le train, les femmes aiment essentiellement les histoires d'amour...

« Pour que 25 % de femmes éduquées lisent cette littérature, en sachant parfaitement bien que c'est une imposture, il faut que leurs fantasmes soient réellement puissants », écrit Michèle Coquillat *.

Ces romans racontent presque toujours la même histoire, celle qui plaît aux femmes, car elles s'y reconnaissent : une jeune femme orpheline ou élevée par une autre femme (mal aimée dès l'enfance) est remarquée par un homme beau, grand, qui connaît la vie (image idéalisée du père œdipien qui lui a manqué). Après de multiples détours et difficultés qui font l'originalité du roman, il lui déclare enfin son AMOUR et elle est comblée !

« C'était la capitulation totale de son être et elle savait qu'il comprenait... Toute son angoisse était balayée par le plaisir qu'elle éprouvait à rencontrer quelqu'un qui la comprenne si bien **. »

Elle se sentait pour lui « transparente *** »...

On croit rêver... Car si la femme est comprise par l'homme, il est sûr que cela ne peut arriver que dans un roman... L'homme est en effet, à la suite d'une éducation uniquement maternelle, tout prêt à ne jamais plus « comprendre », ni même « entendre », ce qui vient de la femme. Sa destinée d'homme lui interdit de se mettre intérieurement à la place d'une femme **** !

L'homme ne peut-il donc jamais comprendre la femme ?

Ce n'est que fantasmatiquement que la femme croit être « comprise » par cet homme amoureux. En vérité, il ne connaît rien de ce que la femme a pu vivre de dénarcissisant auprès d'une autre femme, plus belle et plus aimée

* *Romans d'amour*, M. Coquillat, 1988, p. 244.
** *Id.*, p. 144.
*** *Id.*, p. 144.
**** *Les Enfants de Jocaste*, pp. 144-145.

du père. Lui n'a pas vécu une situation symétrique. Lui n'a été que narcissisé par sa mère et même dans sa rivalité avec le père, sa mère avait une fonction plutôt rassurante. Il ignore ce que cette femme a traversé d'inconfortable sur le plan de la *féminité* avec sa mère et il ne comprend RIEN au fait qu'elle a surtout besoin d'être rassurée sur ce point.

Ignorant tout cela et voyant cette femme attachée à lui plaire, il va lui demander d'être tout ce qu'il aime chez une femme, ce qui la fera retomber dans le stéréotype de l'éternel féminin. Si la femme se tourne vers l'homme pour recevoir confirmation de sa féminité, c'est d'une « certaine » féminité qu'elle entendra parler et hélas nous en connaissons tous les ingrédients !

Il suffit de lire les journaux dits féminins : ils vous diront tous « comment le séduire, le retenir, le partager avec une autre », etc. Toutes les recettes sont prévues, à condition qu'elles puissent plaire à l'homme, évidemment !

La femme passe directement de sa mère à son homme. Rappelons encore une fois ce mot si juste de Freud : « le mari croyant hériter de la relation au père, hérite en fait de la relation à la mère... », car la femme va vouloir « satisfaire » l'homme, comme elle devait satisfaire sa mère pour continuer à avoir une place de fille. La place de femme se garde de la même façon. C'est si vrai que l'homme ne voit pas d'inconvénient à ce que la femme travaille, pour autant qu'elle continue à faire tourner la maison et la machine à laver... D'où la double journée des jeunes mères actuelles, d'où le ras-le-bol des superwomen...

Tant que les femmes resteront, comme me l'a dit si clairement ce matin une femme, coincées par le « faire plaisir » aux autres, elles resteront les esclaves que tout le monde apprécie...

A la fin de la double journée, restera-t-il encore assez d'énergie pour être l'amante rêvée ? D'ailleurs a-t-on l'esprit à « vouloir » encore quelque chose, alors qu'il est onze heures ou minuit et que le dernier essorage est en route ? Ne risque-t-elle pas d'être délaissée pour une autre femme plus libre ?

Et voilà que se profile à nouveau l'image de « l'autre femme MIEUX que soi-même » : la jalousie, ce cancer de l'amour, se glisse dans le couple... Et si par malheur le pressentiment devient réalité, la femme va poursuivre de sa haine et de sa vindicte non pas l'homme qui la trompe, mais « l'autre femme »... Comment est-Elle? Que fait-Elle? Que lui fait-Elle de plus? Que lui dit-Elle? C'est la rage contre l'autre femme qui occupe la femme trompée, car elle a l'habitude qu'une Autre lui prenne ce qu'elle a, qu'une autre lui prenne sa vie. Somme toute, elle s'y attendait.

L'homme jaloux ne demande rien sur l'autre homme, il ne veut rien savoir... Il souffre de ce que sa femme lui échappe, lui à qui la première femme, sa mère, n'a jamais fait défaut...

La jalousie est un sentiment terrible en amour parce qu'il fait retourner chacun à des sentiments archaïques dont l'expression est enchaînée au corps. L'adulte jaloux devient comme le petit enfant dans son berceau, que sa mère abandonnait pour faire autre chose et qui pleurait, criait, étouffait. C'est tout cela que l'on peut retrouver d'un coup, parce que celui qui nous aimait est parti « ailleurs ».

La jalousie fait-elle partie des sentiments amoureux?

Oui, car on ne craint de perdre que ce à quoi l'on tient et ce n'est pas un hasard si c'est la femme qui éprouve le plus souvent ce sentiment. Premièrement, nous avons vu que, lors de son enfance, elle l'a bien connu avec la Mère, la première des « autres » femmes... Secondement, n'ayant pas eu son père comme objet œdipien, elle n'a eu aucun autre objet de remplacement et c'est dans l'amour qu'elle éprouve pour la première fois le sentiment que quelqu'un lui appartient, à elle en priorité. Deux raisons qui font que l'amour revêt plus d'importance dans la vie des femmes que dans celle des hommes. Et qu'elles y tiennent d'autant plus. Et qu'elles sont d'autant plus déçues quand ça ne marche pas avec l'homme comme elles s'y attendaient. Et que, profondément déçues, elles sont les premières, depuis qu'on leur a accordé le droit de parler et de voter, à dire que cela ne peut pas durer et qu'il faut divorcer.

Au moins aujourd'hui avons-nous acquis la liberté de quitter cet homme qui ne nous comprend pas... C'est tout de même mieux que du temps de nos mères...

Oui... Ce qu'on n'a pas obtenu avec l'un, on va le chercher avec l'autre... Mais l'Autre, c'est très souvent l'enfant. La liberté de quitter l'homme a fréquemment pour corollaire le droit de priver l'enfant de Père et les femmes continuent ainsi, au grand jour, ce que faisaient nos mères et nos grand-mères en cas de désaccord conjugal : elles vivent avec leurs enfants. A la différence de ce qui se passe aujourd'hui, les apparences autrefois étaient sauves, mais la famille monoparentale, il y a longtemps qu'elle existe! Avec comme seul parent la Mère!

C'est bien de cela que je me désole pour les filles d'hier et d'aujourd'hui. Aux reproches chuchotés dans les salons à propos de l'homme a succédé la liberté de le quitter, mais c'est, aujourd'hui comme hier, pour vivre AVEC un enfant.

Que voulez-vous dire?

L'enfant est actuellement trop souvent le « partenaire idéal » de la femme. Elle ne le sait pas quand elle le conçoit dans un élan de symbiose avec son partenaire, comme l'incarnation d'un lien durable avec lui, mais cet enfant a beaucoup de chances – ou de risques! – de devenir plus important pour elle que l'homme avec qui elle l'a fait.

Dès que la femme sait qu'elle porte en elle un enfant, elle éprouve avec lui une communauté de corps qui dépasse de loin les quelques minutes ou secondes du coït avec l'homme... Une femme enceinte perçoit rapidement qu'elle a atteint un degré de symbiose unique dans la vie. Sans en prendre vraiment conscience, il arrive qu'elle glisse lentement du mari à l'enfant comme « alter ego ».

La prééminence de la mère par rapport au père prend naissance dès la grossesse et sera, dans bien des cas, considérée par l'homme comme une fatalité. Malgré les 5 % de pères qui découvrent avec ravissement le corps à corps avec l'enfant, la connivence avec lui, la chaleur de ses bras autour de leur cou, les autres continuent d'ignorer que le nouveau-né est prêt à vivre aussi bien AVEC le père qu'AVEC la mère. Peu de couples exploitent cette possibilité et l'homme, à côté du duo mère-enfant, se transforme en saint Joseph : celui qui n'y est pour rien, ne sait rien faire et n'y peut rien.

Le père vit ailleurs, loin de chez lui, pour de longues heures et ce n'est ni sa société, ni son patron, ni l'État qui le libéreront à une heure convenable pour qu'il puisse « paterner ». Ni le patron, ni le père ne changeront rien à leurs habitudes. En revanche, la mère *doit* se débrouiller : l'enfant n'a qu'ELLE sur qui compter et elle doit d'ABORD penser à LUI.

Cet état de fait entraîne une répercussion immédiate. Si le couple était en danger d'éclatement, la venue de l'enfant accroît ce danger puisque les parents ont une position psychologique divergente, chacun s'accrochant à ce qu'il croit être son domaine, ou son privilège : la mère à l'enfant, le père au travail. Ils ne sont plus sur la même longueur d'onde; cet enfant, qui avait été considéré comme désir commun, est devenu réalisation d'une seule. La femme commence à se dire : « Puisque je suis SEULE avec l'enfant et puisque je ne peux pas compter sur mon mari, à quoi bon rester? Puisque je ne peux vivre qu'AVEC mon enfant, autant quitter François, je vais lui en parler »... Un soir passe, puis deux, puis trois, ce n'est pas facile de dire : « Je veux partir avec l'enfant que nous avons fait. » Que va dire François, lui qui travaille du matin au soir et rentre fourbu, avec le sentiment qu'il travaille pour « eux »? Il va d'abord dire que c'est fou et stupide, puis devant les arguments ménagers habilement amenés, il va commencer à comprendre qu'ici il occupe la place d'un inutile, que la maison tourne très bien sans lui, qu'il représente même une charge de plus, une bouche de plus, des chemises à repasser en plus, une vaisselle en plus. Enfin il est **où il s'est mis depuis la naissance du bébé,** « en plus » de la mère et de l'enfant et maintenant il va perdre mère et enfant qui forment un tout.

Les statistiques sont claires : sur cent enfants de divorcés, quatre-vingt-cinq vivent avec leur mère et ne voient qu'accessoirement leur père ; cinquante pour cent perdront définitivement tout contact avec le père !

Donc si la femme demande le divorce ce n'est pas tant par déception de ce qu'elle a trouvé auprès de l'homme, que parce qu'elle a découvert une autre symbiose plus satisfaisante ?

Effectivement, le plus souvent, déçue par l'homme qui ne la « comprend » pas, la femme reste dans le couple jusqu'à la venue de l'enfant, car elle pense qu'ils vont « partager » cet enfant, mais rien ne se passe comme prévu et l'enfant les sépare encore plus en tant que parents. C'est ce qui donne à l'enfant une **position clef** dans la vie d'une femme.

La femme découvre en effet, avec la venue de l'enfant, une situation de symbiose idéale où elle communique de façon permanente avec l' « autre », et ce qu'elle n'a parfois pas trouvé avec son partenaire, elle peut le vivre avec son enfant. La femme peut en déduire que sa solitude est comblée et qu'elle peut sans dommage s'engager à vivre en parent célibataire. L'illusion sera de courte durée, car dès qu'il sera d'âge à s'exprimer, l'enfant fera comprendre à sa mère, par son opposition, qu'elle doit renoncer aussi à cette symbiose et affronter à nouveau la solitude, même auprès de l'enfant tant aimé...

Alors si vous êtes persuadée que rien ne peut contenter ni femme ni homme, pourquoi vouloir tenter de les faire vivre « autrement » par rapport à l'enfant ?

Parce que mon travail d'analyste m'a fait toucher du doigt à quel point l'insatisfaction des femmes est profonde et comment elles vivent des vies entières entachées de la crainte et de la culpabilité de ne pas être ce qu'il faudrait. L'homme s'il souffre de solitude ne présente pas un tel

degré de dévalorisation... Je sais que je ne peux pas transformer entièrement la vie d'une femme, mais je peux certainement l'aider à comprendre d'où vient son étrange mal
féminin et ainsi, peut-être, l'atténuer en lui exposant tous
les désavantages encourus par la petite fille élevée par une
femme.

Je pense que si les mères elles-mêmes ne comprennent
pas l'origine de leurs malheurs, elles continueront à les
perpétuer tout en croyant les éviter. L'Œdipe entre les
pères et les filles n'existera que dans la mesure où les
pères s'y engageront, mais pour autant que les mères le
permettront. A l'heure actuelle, il est devenu évident que
trop de femmes déçues par l'homme se rattrapent avec
l'enfant dont elles font une exclusivité féminine.

*Mais l'Œdipe, toujours l'Œdipe, n'est-ce pas trop
attendre de l'Œdipe?*

L'Œdipe est le premier lieu de différence reconnue
« bénéfique » et donc acceptable par l'enfant. Avec son
parent œdipien, l'enfant s'éprouve comme « ce qu'il faut
être ». N'est-ce pas un début « confortant » pour un être
humain? Et n'est-ce pas primordial d'être reconnu satisfaisant avant l'âge de cinq ans, plutôt que de courir sa vie
durant à la recherche de reconnaissances, variées, peut-
être, mais toujours cher payées, surtout par les femmes?
Reconnaissances jamais acquises d'ailleurs puisqu'à l'âge
adulte notre inconscient « n'engrange plus » de façon définitive les vérités essentielles touchant au narcissisme de
l'individu. Chaque être humain doit traverser la vie avec
ce qu'il a reçu entre zéro et cinq ans comme confirmation
de son droit à exister « tel qu'il est ».

Attention à tous ceux qui ont occupé la place d'un
enfant précédent! A tous ceux qui ne sont pas arrivés au
bon moment ou avec le bon sexe! Attention à toutes celles
qui n'auront droit d'existence que dans la mesure où elles
seront comme doit être une petite fille, une femme, une
mère!

Dès que l'on parle des femmes, il semble qu'il n'y ait

toujours qu'un seul et même refrain : elles feront des enfants. Faut-il que ce soit là un énorme privilège, pour que tout autre mode d'existence soit inférieur à celui-là!

Même celles qui choisissent d'avoir une vie autre n'osent pas lâcher ce privilège et préfèrent assumer une double existence. Les femmes revendiquent l'égalité du travail avec l'homme, mais en même temps, elles revendiquent l'enfant. L'homme commence à penser que cette femme-là, la « superwoman », devient franchement dangereuse. Lui qui avait pris soin de reléguer sa femme à la maison avec les enfants, pour ne plus la rencontrer au même lieu que lui (comme du temps de Jocaste), s'affole de voir qu'elle trouve le moyen de sortir de sa prison, soit en ayant moins d'enfants, soit en les « plaçant » en garderie, à la crèche, etc.

La femme a compris le subterfuge que l'homme employait envers elle. Elle ne nie pas son utérus, mais elle refuse d'être réduite à *n'être que cela*. Le tout est de ne plus être esclave de ses hormones, de pouvoir parer au désir d'enfant de l'homme, de n'avoir d'enfant que lorsque le travail le permet et de ne jamais devenir esclave de ce petit. Somme toute, la reproduction a cessé d'être l'obligation de la femme et, le coït de ressembler à une soumission. L'enfant de devoir a été remplacé par l'enfant du plaisir.

Vous faites bon marché semble-t-il des difficultés sexuelles rencontrées avec l'homme?

Non, mais je sais que les difficultés sexuelles ne sont attribuées aux femmes que par l'habitude qu'on a de les culpabiliser. Je pense qu'il y a autant de difficultés de cet ordre chez les hommes.

La grande équation, commune à l'homme et à la femme, dans les rapports physiques est VOULOIR inconsciemment = POUVOIR consciemment. Inversement : ne pas POUVOIR est équivalent à ne pas VOULOIR inconsciemment.

La part de la décision inconsciente est fondamentale

dans les relations physiques. Les gens ne comprennent en général pas clairement l'origine de leurs troubles, puisque cette origine ne passe pas par le VOULOIR conscient, mais par une chaîne réflexe inconsciente dont ils voient simplement les effets : ça ne marche pas.

Repartons une fois de plus vers l'amont. Un très jeune enfant caressé ou touché ne peut pas refuser avec des mots cette caresse, même si elle l'importune. Il va *refuser* de façon *somatique*, avec tout le corps qui se contractera; dans le cas contraire, il va *accepter* le plaisir que lui procure ce contact en se détendant, en se laissant faire. Autrement dit, la réponse donnée à une sollicitation *passe d'abord par le corps*. De même la petite fille qui est en conflit avec sa mère, mais ne peut rien lui en dire, développera peut-être une anorexie par blocage de toute sensation de faim à l'approche de la mère. Il y a de fortes probalités pour que cette petite fille devenue grande agisse de la même façon envers un homme qui lui rappelle inconsciemment le conflit d'autrefois et que, pour X raisons, elle n'apprécie pas. Elle va bloquer toutes sensations au niveau de la peau et devenir « inexcitable », donc « frigide ».

Les modes de blocage ne sont pas toujours les mêmes : certaines peuvent accepter les caresses jusqu'à un point donné, où tout se bloque. D'autres suivent l'excitation jusqu'au moment de l'orgasme, qui, lui, est refusé, pour créer une distance nécessaire entre elle et lui. L'inconscient s'agite tout spécialement au moment du coït afin que chacun, par des mécanismes secrets (même pour lui), protège sa liberté d'être AVEC ou SANS l'autre. Sur le plan conscient tout ceci peut paraître étonnant; il n'en reste pas moins vrai que tout individu présentant un problème de jouissance avec l'autre évite un moment de fusion qui lui rappelle le souvenir d'un danger éprouvé autrefois. Il ne se protège pas tant de la *jouissance* que de l'aliénation *au désir de l'autre*. Toute défense de cette sorte entre un homme et une femme a des racines profondes qui plongent dans un comportement déjà vécu *dans l'enfance* avec un des parents.

Le corps paraît avoir une *histoire*. Celle-ci a commencé

dès les premiers jours avec l'adulte qui s'occupait de l'enfant et elle *continue* même au sein du lit conjugal, alors que chacun se croit très loin de ses parents... A même demande, même réponse : trente ans plus tard, le corps continue à se fâcher le premier... et à bouder plus longtemps que la tête! Deux partenaires qui ont été en opposition le jour, même s'ils sont d'accord pour faire l'amour le soir, ont de grandes chances d'aboutir à un fiasco.

Le corps certains soirs prendrait-il la place des mots?

Oui, puisque vous avez vu que dans l'enfance l'inconscient et le corps expriment la même chose. C'est toute la base de l'expression psycho-somatique : *on dit avec le corps* ce qu'on ne peut pas dire avec *les mots*. C'est particulièrement valable sur le plan *sexuel* où le corps résiste lorsque s'exprime un désir qui n'est pas soutenu par la reconnaissance de la valeur de la personne : les plus heureux en amour sont « les amoureux » qui idéalisent fortement l'objet aimé et lui accordent un préjugé favorable démesuré. Quelquefois un homme et une femme vivant ensemble s'étonnent de ne pas retrouver les élans d'autrefois. Ils ont tout simplement au contact de la vie réalisé la valeur relative de l'un et de l'autre, ils ne sont plus Roméo et Juliette.

Et l'orgasme dans tout cela? Faut-il l'attendre encore?

Mais l'orgasme n'est pas un problème. Toute femme qui se masturbe l'obtient parfaitement et rapidement (deux ou trois minutes d'après le rapport Hite) *. Ce qui est problématique, c'est de faire confiance, pour nous deviner là, à quelqu'un qui ne nous comprend pas dans la vie. L'orgasme n'est un problème que dans la mesure où c'est ce que « veut » l'autre; quand il dépend de notre propre désir, il fonctionne parfaitement... Il en est de

* Rapport Hite, Paris, Laffont, 1977.

même pour l'homme qui peut, au cours d'un rapport sexuel, éjaculer mécaniquement sans avoir lui non plus d'orgasme.

L'orgasme entre deux amants est à la mesure de la confiance qu'ils ont l'un en l'autre. Pour y accéder, il faut pouvoir laisser de côté toute idée d'opposition (donc de refus). Il faut que la main du partenaire puisse être assimilée à la sienne propre, car qui voudrait se faire à soi-même autre chose que du bien? Il faut créditer l'autre d'aussi bonnes dispositions à notre égard que nous en avons nous-mêmes. Rien n'est plus égoïste que l'orgasme et rien n'est plus altruiste que de laisser l'autre nous le donner.

Les échecs surviennent toujours pendant des périodes où nous nous sommes blessés l'un l'autre et où le taux de méfiance a augmenté : « Il ne me comprend pas », « Je serai toujours seule avec celui-là », « S'il savait ce que je pense de lui... » Voilà des pensées qui tuent l'orgasme (sauf en cas de perversion sado-masochiste).

Et la lenteur proverbiale des femmes pour atteindre l'orgasme ?

La lenteur des femmes lors de l'excitation est démentie formellement par leur rapidité orgastique lors de la masturbation. Ce qui paraît faire problème, c'est l'attitude profonde de méfiance de la femme vis-à-vis du savoir-faire de l'homme. Elle pense qu'il ne fait pas ce qui conviendrait, ou qu'il ne dit pas ce qu'elle aimerait entendre ; enfin, d'une façon ou d'une autre, elle se trouve *contrariée* donc retardée dans sa rapidité de réponse aux caresses de l'homme.

Il se peut aussi que l'homme ne sache vraiment pas la deviner et la femme est bloquée par sa crainte qu'il n'arrive au but trop rapidement. Car on parle volontiers de la trop grande lenteur de la femme, mais on n'incrimine pas assez souvent la trop grande rapidité de l'homme qui manifeste une certaine impossibilité de faire face au désir de la partenaire.

La réussite physique entre deux êtres humains est toujours soumise à cet axiome : « je VEUX ce que tu VEUX. »

Cette formulation est difficile pour l'homme parce qu'il a été trop longtemps œdipiennement « l'objet d'une femme » et ne veut plus inconsciemment le *redevenir*; elle est difficile également pour la femme qui n'a jamais été *l'objet* de qui que ce soit, n'ayant pas eu d'œdipe, et ne sait pas inconsciemment le *devenir*. Telles sont les difficultés inconscientes propres à l'homme et à la femme au moment d'atteindre l'orgasme.

Nous voyons bien à quel point le *rapport sexuel adulte* repose sur le *rapport primitif* à la mère. La réussite dépend de l'imaginaire qui nous permet de prendre l'autre pour une « BONNE » Mère, même si l'on n'en a jamais eu.

N'existe-t-il pas d'enfant qui ait eu une BONNE mère?

Il existe seulement des mères « suffisantes », c'est-à-dire des mères n'imposant que des frustrations « supportables » pour l'enfant. En effet celui-ci, lors de ses premiers mois, est dépourvu de moyens d'expression autres que les pleurs et il est inévitable que sa mère (ou son père) ne réponde pas exactement à son besoin. Dans les tout premiers jours, d'ailleurs, le besoin est de retourner « in utero » dans une satisfaction orale permanente, à l'intérieur d'un univers calfeutré, dont les bruits et la lumière seraient filtrés... Les parents passent inéluctablement à côté... Il faut en convenir une bonne fois pour toutes : donner le jour à un enfant, c'est le lancer sur la voie du Manque et sur la solution imaginaire qui comblera ce Manque.

L'imaginaire, voilà le grand soutien dont l'homme usera en cas de difficultés. L'imaginaire en Amour, ce sont les *fantasmes* qui ont droit de cité dans la mesure où ils ajoutent à la situation réelle ce qui lui manque pour déclencher la perfection de l'instant : l'Orgasme, si étonnant, si inhabituel pour nous que nous en perdons le souffle, la perception du jour, l'audition des bruits... Nous sommes « suspendus » pendant l'orgasme, nous sommes délicieusement mis entre parenthèses. C'est d'ailleurs notre seul moyen de quitter pour un instant le monde habituel de nos insatisfactions.

L'orgasme est, nous dit le sexologue Swang, « le meilleur remède à l'angoisse de l'homme », ce qui explique tous les moyens inventés par l'homme et son imagination pour l'atteindre. Les analystes appellent l'orgasme « la petite mort ». Vous voyez que chacun lui réserve une place bien spécifique dans la catégorisation des repères humains. Les animaux qui naissent presque tous à l'état d'achèvement ne connaissent ni les manques du petit d'homme, ni les joies propres aux amours adultes.

Selon vous, tout ce qui peut nous aider à atteindre l'orgasme est « bon »?

Sauf si ce qui est nécessaire à la jouissance de l'un passe par la *mort* ou le *viol* de l'autre.

Mais il peut arriver que l'enfant ait pris comme lieu de jouissance l'extrême cruauté de l'absence ou de la présence d'un ou de ses deux parents, auquel cas il ne connaîtra d'orgasme qu'en relation avec une situation aussi cruelle que celle qu'il a enregistrée (disputes violentes, cris, coups, etc.). L'enfant sera devenu un adulte « psychopathe » logique avec lui-même, mais illogique pour tous les autres.

L'homosexualité fait-elle partie des chemins normaux de l'amour?

En voilà une question! Toutes les formes d'amour, qui sont issues d'un même désir entre deux êtres humains et ne font pas appel à la contrainte physique ou morale, sont des formes d'amour qu'un psychanalyste ne peut pas traiter d'anormales. Il les reconnaît au même titre que les autres, dont la référence type est l'amour hétérosexuel, tout simplement parce que celui-ci est le seul qui assure à la fois le *plaisir* et la continuation de l'espèce, donc l'évitement de la mort.

Mais si deux personnes, en l'occurrence deux femmes, décident que la forme d'amour qui les satisfait le plus est celle qui se partage avec une autre femme pourquoi pas ?

Il se peut en effet que la relation infantile à la mère ait été tellement « insuffisante » et même « déstructurante » qu'à l'adolescence la fille ne soit pas du tout prête à se ressentir comme femme et en tout cas pas « une femme comme les autres ». Si elle croise le chemin d'autres adolescentes de même structure à la recherche, non pas du PLAIRE à l'homme comme c'est en général le cas, mais de la rencontre enfin réussie avec une autre femme (sentiment qui fait aussi partie, momentanément, de l'adolescence féminine) et qu'elle connaisse cette rencontre réussie, il se peut qu'elle s'y fixe définitivement.

Il faut dire que dans le cas de très mauvaise relation à la mère, l'identification sexuelle féminine est *plus ou moins refusée* et l'identification masculine *plus ou moins souhaitée*, de sorte qu'on trouve des variations dans l'homosexualité : certaines ont des relations homosexuelles *épisodiques*, d'autres vont *alternativement* de la femme à l'homme, d'autres ne sont qu'*homosexuelles* et d'autres enfin rêvent de transsexualité et transformations chirurgicales afin de pouvoir donner « vraiment » à l'autre femme ce qu'elle attend... Mais tout se passe comme si le plaisir devait être obtenu d'une femme ou donné *à une femme*, en qui elle trouve enfin l'amour féminin que sa mère ne lui a pas accordé.

On notera que l'homosexualité féminine, relation de réparation avec une autre femme, est fortement marquée d'affectivité et qu'elle a ainsi des motivations et des caractéristiques différentes de l'homosexualité masculine. En effet, l'homme homosexuel ne recherche son sexe que parce qu'il fuit l'autre. Ayant connu un trop grand amour avec la mère, il ne peut plus désirer une autre femme sans réveiller une terreur profonde et seul le monde masculin apparaît comme rassurant. La femme homosexuelle, elle, n'a rien à craindre de l'autre sexe.... sinon qu'il ne sache pas aimer comme elle l'entend. Elle ne cherche pas tant à fuir l'homme qu'à retrouver la femme.

Et le mariage dans tout cet imbroglio homme-femme figure-t-il comme agent structurant ou déstructurant de l'amour?

Cela dépend et la réponse ne peut être que très nuancée. Il y a ceux qui, se connaissant bien et acceptant bien leurs différences après un essai de plusieurs mois de vie commune, continuent à apprécier leurs qualités réciproques et à tolérer leurs défauts. Ils s'aiment profondément, ils en ont fini avec l'état amoureux et ses illusions et ils pensent pouvoir partager la même vie. Le mariage ne changera pas grand-chose à leur amour; il sera vu par eux comme le commencement d'une cellule familiale et sociale où l'enfant viendra dans des conditions favorables, puisque l'enfant a surtout besoin, dès ses premiers jours et à égalité, d'un père et d'une mère présents. Même si les rêves amoureux se sont quelque peu émoussés au cours de la vie commune, les partenaires découvriront une nouvelle symbiose à travers un enfant qui est, en tout premier lieu, « Toi et Moi », puis peu à peu lui et nous. Avec ou sans mariage, telle est l'évolution habituelle de la symbiose de l'amour humain : Toi et Moi, puis Toi et Moi *dans* l'enfant, puis Toi et Moi *avec* l'enfant. La symbiose a changé de couleur, mais elle est toujours là et c'est ce qui maintient le couple uni.

Pour ceux dont la demande est d'avoir toujours une symbiose intense, surtout s'ils fondent cette symbiose sur les émois corporels éprouvés ensemble, il n'est pas évident qu'ils puissent conserver éternellement un état amoureux qui fait partie du commencement de l'amour... Peut-être devront-ils « recommencer » plusieurs fois leur vie pour retrouver chaque fois et éprouver comme neuf l'émerveillement de l'amour...

Il y a aussi ceux qui, ayant vécu plusieurs mois ou plusieurs années ensemble, acceptent mal leurs différences. S'ils en sont à vouloir faire « changer » l'autre au lieu de l'accepter, qu'ils ne croient surtout pas que le mariage va « changer » quelque chose ou leur apporter ce qu'ils n'ont pas, c'est-à-dire assez de choses en commun pour traverser toute une vie. Qu'ils ne croient pas non plus que l'enfant sera un territoire commun suffisant! L'enfant, au contraire, servira dans certains cas de lieu vivant d'opposition entre les parents... Et la séparation n'apparaîtra que plus irrémédiable.

Autrement dit, le mariage n'est pas la solution idéale pour tous. Certains y trouveront un attachement indéfectible, alors que d'autres le ressentiront comme une prison d'où ils chercheront sans cesse à s'échapper, quitte à ne le faire qu'après des années. Ils auront ainsi connu une longue insatisfaction dans laquelle ils auront plongé leurs propres enfants, leur donnant de la vie une fausse appréciation...

Le divorce est-il donc une solution pour ceux-là?

Pour eux c'est une solution bien sûr. Mais on divorce en général trop tard, après des années de conflit qui minent peu à peu l'estime entre les partenaires, et le jour où deux parents se séparent, ils obligent sans le savoir l'enfant à rejeter tour à tour une moitié de lui-même. Ce qui est richesse d'un enfant, sous forme de mélange de deux personnalités différentes, peut devenir catastrophe et problème quand chaque parent rejette en son enfant ce qui *ressemble à l'autre*... C'est là tout le problème du divorce! Arrivera-t-on à divorcer aussi simplement que l'on se marie, c'est-à-dire en constatant, et en faisant part à ses proches, que ce mariage va être dissous, puisque ne convenant pas à l'épanouissement des partenaires.

Ce qui rend le divorce si difficile, c'est qu'il est considéré comme quelque chose de *négatif* par la plupart des gens. Les partenaires, soutenus par la société lors de leur mariage, se trouvent ici *abandonnés* et *blâmés*, au lieu d'être *félicités* pour leur lucidité et leur volonté de ne pas plonger leurs enfants dans une situation névrosante. Il n'y a personne pour dire ce qu'est le divorce : un changement de direction, tout comme le mariage du reste... Les partenaires hésiteraient beaucoup moins longtemps à défaire leur union, s'ils se savaient approuvés – ou, au minimum, non blâmés – par les leurs et par la société. Ils prolongent des situations « invivables » par peur du jugement des autres, ou par crainte de traumatiser l'enfant. Il faut le dire ici : mariage ou pas, ce qui TRAUMATISE votre enfant, c'est de devoir, à un moment ou à un autre de sa vie, choisir et prendre parti entre ses deux parents, c'est-à-dire entre les deux moitiés de lui-même... Comment réussir une telle entreprise au sein de l'Être humain, sans le faire souffrir? La seule solution est de comprendre que, dans un divorce, le salut de l'enfant passe par une estime réciproque conservée entre ses géniteurs.

Deux parents qui décident de séparer leurs vies, doivent savoir qu'ils garderont toujours quelque chose en commun, l'enfant. Celui-ci, où qu'il vive, a besoin de pouvoir s'estimer en entier et ne doit jamais être acculé à choisir entre ce qu'il éprouve pour son père et ce qu'il éprouve pour sa mère. Dans le cas contraire, c'est lui qui devra assumer *un divorce* interne et ce cas est beaucoup trop fréquent pour qu'on ne le dénonce pas ici : les parents qui divorcent font en général partager « indûment » à l'enfant une séparation intérieure qui le laissera à tout jamais marqué...

Quand deux jeunes se marient, il ne vient à l'esprit de personne de dire : « C'est de sa faute à lui ou à elle... » Que n'en est-il de même lorsqu'ils divorcent? Le jour où ils ont dit oui devant M. le Maire, personne n'avait vu « l'autre mariage » qui se concluait entre leurs inconscients... Et c'est toujours l'inconscient des êtres humains qui leur rend la vie commune intenable. Que peut-on dire de ce qui ne se voit pas et que les principaux intéressés ne voient pas eux-mêmes?

Je voudrais que s'établisse définitivement dans la tête des gens cette idée : dans le mariage, comme le dit le petit Prince de Saint-Exupéry, « l'essentiel est invisible pour les yeux ». Gardons-nous donc de porter un jugement sur ce que nous voyons du mariage et du divorce, deux démarches qui n'ont souvent que des justifications inconscientes. Parfois l'équilibre invisible des inconscients est bon pour les deux partenaires et permet de passer la vie ensemble; parfois l'équilibre invisible est nocif pour l'un ou l'autre, ou pour les deux et il faut se « démarier ».

Je ne vois là rien qui puisse être établi comme loi : toute histoire d'amour, de mariage ou de démariage dépend d'abord de l'histoire inconsciente du sujet et ne peut de ce fait être généralisée.

Alors vous n'êtes ni pour ni contre le mariage et ni pour ni contre le divorce?

Non, le but de nos générations étant d'atteindre le plus de bonheur possible au cours de notre vie, nous ne pouvons pas sacrifier notre vie actuelle en vue d'une autre vie meilleure. Cela étant établi, chacun de nous trouvera son bonheur ou dans le mariage, ou dans l'union libre, ou dans le célibat. Je crois qu'il y aura bientôt plusieurs formes de vie sociale et nous nous acheminons, du moins en Europe, vers une société plurifamiliale où chacun aura la famille qui lui convient.

Si l'analyste que je suis, prend parti pour une éducation de l'enfant également répartie entre père et mère, il ne lui appartient pas de décider de la formule du contrat qui lie les parents entre eux et le chamboulement actuel des structures familiales nous prouve bien que l'Inconscient se rit de tout contrat, fût-il de mariage...

Point de vue gynécologique

Le rapport sexuel

Tout ce que l'on peut écrire sur la rencontre physique et sexuelle entre deux personnes ne peut se dérouler aisément que si le **rapport affectif** le permet. Dans le cas contraire, n'importe laquelle des modifications décrites ci-dessous peut être absente, ralentie, douloureuse.

« Faire l'amour » provoque une modification physique de tout le corps, mais les modifications sexuelles de la femme étant plus discrètes que celles de l'homme, elles ont été longtemps mal observées et mal comprises.

Le rapport physique se divise en trois phases.

La phase d'excitation

Sous l'effet des stimulations (étreintes, baisers, caresses, attouchements intimes), les organes sexuels de la femme réagissent par un phénomène vasocongestif. Celui-ci les prépare à une pénétration facile et une jouissance augmentée par la turgescence des grandes et petites lèvres et les modifications internes du vagin qui s'étire et s'élargit surtout vers le fond pour permettre au pénis en érection de trouver sa place.

La première réaction perceptible de l'excitation positive de la femme est une lubrification du vagin débordant sur les organes externes ; c'est une sorte de perspiration à travers les parois vaginales qui s'effectue alors et qui, dans le langage courant, est désignée par l'expression : la femme **mouille**. C'est le premier et l'indispensable signe révélant au partenaire qu'il peut continuer ses approches. Sans cette lubrification, il y a de grandes chances que l'excitation devienne en quelques minutes pénible et douloureuse, ainsi que la pénétration, rendue quasiment impossible.

Cette lubrification s'accompagne d'une modification du clitoris qui se met en érection et devient infiniment sensible à tout attouchement.

Le point G, identifié par certains et nié par d'autres, se situerait dans le premier tiers inférieur du vagin, ce qui correspond à ce que nous savons de cet organe, uniquement sensible dans sa première partie et moins insensible dans sa profondeur : Tout ce qui est excitable est donc à portée de main de celui qui veut conduire la femme à son maximum d'excitation.

Cette phase est sans nul doute la plus importante pour la femme. Elle peut durer de cinq à trente minutes ou plus, et détermine tout le déroulement ultérieur de l'acte amoureux.

L'orgasme

C'est la phase très brève, au cours de laquelle la femme atteint son plaisir culminant. Abandonnant tout contrôle sur elle-même, elle se trouve entraînée dans une série de vagues successives de contractions involontaires des muscles du périnée qui enserrent à chaque spasme le pénis de l'homme, lequel, pris dans cet ouragan, ne tarde pas à éjaculer sous l'effet lui aussi de l'orgasme qu'il ne maîtrise plus. La jouissance de l'homme est unique et demande avant de réapparaître un certain temps de latence, tandis que la femme peut avoir ou bien une série de contractions de jouissance allant crescendo ou bien une seule acmé. Les femmes dans leur orgasme sont aussi variées que dans leur excitation et il faut connaître les chemins qui sont les leurs avant de partir avec elles dans un **ailleurs** où elles vont souvent plus loin que l'homme...

L'orgasme est-il clitoridien ou vaginal? La question paraît primordiale, mais en fait est sans importance, car quelle que soit l'excitation privilégiée, ou clitoridienne ou vaginale, celle-ci finit dans un orgasme qui entraîne et le clitoris et le vagin. Tout dépend donc de la connaissance que la femme a d'elle-même et qu'elle communique à l'homme dont il faut cesser de croire qu'il « devine »...

La phase de résolution

C'est la phase terminale où tout revient progressivement en place et où les amants, désolés de se quitter déjà, prolongent leur intimité par des caresses et des mots tendres : l'affectif réapparaît et permet que dure l'union des cœurs alors que celle des corps s'estompe.

COURBE DE L'ORGASME MASCULIN ET FÉMININ

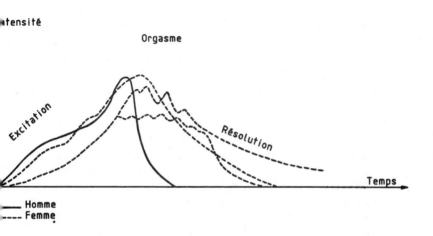

Les variations de l'amour

Si certaines excitations sont laissées à la libre invention de chacun, il y a cependant un certain nombre de pratiques érotiques si anciennement utilisées qu'elles ont reçu un nom pour les distinguer précisément.

Le cunnilingus : c'est l'homme qui excite les parties sexuelles de la femme par des caresses buccales : elles ont l'avantage de lubrifier en même temps le sexe féminin, ce qui ne peut qu'accélérer la réponse à l'excitation.

La fellation : c'est la femme qui caresse de sa langue et saisit dans sa bouche le sexe de l'homme, simulant une pénétration sexuelle très excitante pour l'homme.

Ces deux variantes peuvent déclencher un plaisir très rapide de l'un ou l'autre partenaire sans véritable pénétration sexuelle. Elles sont donc à pratiquer en vue d'augmenter l'excitation commune, mais elles sont à déconseiller en cas d'éjaculation précoce.

Le 69 : comme le chiffre le symbolise, les partenaires sont en position tête-bêche et pratiquent ensemble l'un avec l'autre cunnilingus et fellation : cette technique peut être pratiquée en vue d'atteindre un orgasme sans pénétration vaginale.

La sodomie : l'homme, tout en caressant vulve et clitoris, peut étendre ses caressses à la zone péri-anale et pénétrer la femme par l'anus. Celui-ci étant moins large, moins élastique et plus contractile volontairement que le vagin, cette pénétration **peut** être ressentie comme beaucoup plus excitante pour l'un et l'autre partenaire (mais attention à la réaction féminine secrète qui fait d'elle avec cette pratique plus souvent un objet qu'un sujet...). De toute façon, la sodomie ne peut être pratiquée sans douleur qu'après lubrification. Elle est souvent responsable de distension anale ou de minuscules lésions de la muqueuse : porte d'entrée d'infections comme le **sida**.

Toutes ces pratiques ne peuvent être une jouissance supplémentaire que dans la mesure où les DEUX partenaires les apprécient... Si pour une raison d'éthique ou d'hygiène, elles sont refusées secrètement, le résultat n'en pourra être que négatif.

Dysfonctionnement féminin

Les dysfonctions sexuelles féminines se définissent toujours comme des difficultés dans le rapport au partenaire; c'est le manque d'ajustement réciproque qui CRÉE le problème sexuel.

Soyons clairs : une femme peut très bien arriver à l'orgasme par masturbation solitaire, mais cette même femme, si c'est l'homme qui la caresse, peut ne rien éprouver...

Frigidité

La frigidité est l'impossibilité d'atteindre l'orgasme avec le partenaire choisi. L'orgasme par ailleurs connu soit par masturbation, soit avec un autre partenaire, n'a pas lieu avec l'homme qui partage les nuits et souvent la vie de la femme.

C'est la relation psychique inconsciente entre les deux personnes qui en est la **cause** principale :

– Soit la femme se refuse inconsciemment à éprouver quoi que ce soit avec cet homme ou avec tout homme (rapport Hite : 48 % des femmes se disent satisfaites de la relation sexuelle dans le coït, mais 81 % se masturbent solitairement ou après le coït). La plupart des femmes connaissent l'orgasme, mais ce n'est pas toujours grâce à l'homme...

– Soit l'homme ne sait pas accompagner sa partenaire jusqu'à l'orgasme, faute de savoir s'adapter aux chemins de celle-ci (souvent par suite d'idées toutes faites sur les femmes), ou faute de ne pas se connaître lui-même suffisamment pour faire attendre sa jouissance. On rappellera ici que l'homme ayant une montée orgasmique plus rapide que la femme, c'est à lui d'attendre qu'elle soit prête.

Dyspareunie

Terme scientifique qui désigne des rapports physiques douloureux. Certaines femmes n'ont jamais connu, depuis leur défloration, elle-même douloureuse, que brûlures ou sensations de déchirures internes lors de la pénétration. Ce désagrément peut être passager ou aller en s'aggravant et devenir intolérable, amenant le couple ou la femme à consulter. Il peut se révéler à l'examen gynécologique une raison locale à tous ces ennuis, mais le plus souvent cette douleur n'est que l'effet d'un **manque de détente** chez une femme qui assimile la pénétration au viol (à la suite d'une histoire inconsciente fâcheuse) et refuse de participer...

Vaginisme

C'est une contracture involontaire des muscles avoisinants le vagin qui rend la pénétration impossible car elle en resserre l'entrée. Ce symptôme peut également se manifester lorsque le médecin tente d'introduire le spéculum au cours de l'examen gynécologique.

Que ce soit chez une très jeune fille ou chez une femme, une telle réaction à la pénétration signale la **peur** d'une effraction et cette peur, dont la racine est bien antérieure à la pénétration, ne peut être traitée que par des **moyens psychothérapiques.**

La femme vaginique n'est pas forcément frigide et peut atteindre l'orgasme par des pratiques autres que la pénétration...

La masturbation

La masturbation est l'art de se procurer à soi-même et sans l'aide d'aucun tiers un véritable orgasme. Nous définissons ainsi la masturbation solitaire. Le fait de se laisser exciter par un autre fait bien appel aux mêmes gestes, mais les caresses étant reçues comme la manifestation du désir de l'Autre, leur action dépendra de la manière dont est ressenti cet Autre.

Dans la masturbation, la difficulté psychologique de la relation à l'Autre est écartée, la personne n'a à faire confiance qu'à elle-même ou à ses fantasmes secrets.

La masturbation a été longtemps ignorée et condamnée par la morale. Depuis la naissance de la sexologie qui lui reconnaît un rôle prépondérant comme prélude aux jeux sexuels entre adultes, elle reprend sa place de sexualité solitaire pour celle qui est trop jeune ou trop âgée pour avoir un partenaire ou qui, de façon temporaire, n'en a pas ou de façon définitive n'en veut pas.

La masturbation est souvent la seule vie sexuelle d'un individu à un moment donné; c'est dire que l'orgasme, atteint sans partenaire, est une affaire d'excitation et pas toujours d'amour...

Master & Johnson * en arrivent à conclure assez étonnamment que les femmes ont plus facilement des orgasmes par masturbation et que les orgasmes les plus intenses sur le plan physique se rencontrent chez les femmes ayant recours à cette pratique auto-érotique.

Plus proche de nous, le célèbre rapport **Hite** conclut : « De

---

* *Les réactions sexuelles,* Éd. Robert Laffont.

nombreuses femmes ont dit qu'elles atteignaient aisément l'orgasme en se masturbant pendant quelques minutes. 82 % des femmes nous ont dit qu'elles se masturbaient et sur ce nombre 95 % parvenaient sans peine à l'orgasme, chaque fois qu'elles le voulaient. Pour beaucoup de femmes le mot **masturbation** est synonyme d'*orgasme*.

En somme, pour la femme, le coït ne serait pas la façon la plus rapide ni la plus régulière d'avoir un orgasme... Et la masturbation tient une place prépondérante dans l'accès à la jouissance féminine.

La rapidité de l'excitation tient au fait que c'est la même personne qui demande et qui reçoit. Dans le coït, la demande et la réponse ne sont pas toujours en phase, c'est bien souvent le contraire et cela a un effet de ralentissement sur la courbe d'excitation.

L'homosexualité féminine

L'homosexualité est une manière de vivre qui consiste à faire plus confiance affectivement et physiquement à une femme qu'à un homme.

Ce comportement peut apparaître tardivement ou précocement, temporairement ou définitivement, selon la structure de la personne et la connotation péjorative qui entoure ce mode de vie.

Les homosexuelles font entre elles tout ce qu'on peut faire avec un homme, avec éventuelle utilisation pendant l'orgasme d'un objet ou des doigts comme substitut de pénis. Il semble que ce qui est absent en fin de parcours soit largement contrebalancé par la sûreté et la satisfaction d'une excitation bien menée par une autre femme qui **sait**...

« Elle est douce, délicate et sait exactement comment caresser mon clitoris avec la pression qui convient... Nous prenons tout le temps qu'il faut et nous jouissons, nous jouissons... *. »

Ce qui paraît dominer la relation homosexuelle féminine, c'est cette recherche de tendresse infinie, de paroles douces, de temps qui n'est pas mesuré à l'aune de la rapidité masculine.

Y a-t-il beaucoup de femmes homosexelles? Certainement

* Rapport Hite.

plus qu'on ne l'imagine... En France aucune statistique valable n'a été faite jusqu'à ce jour. En Amérique, Kinsey estimait en 1953 à 12 ou 13 % le nombre de femmes qui avaient eu des relations homosexuelles. Master & Johnson parlent de 8 % de véritables homosexuelles et 9 % de bisexuelles, ce qui porte à 17 % le chiffre de celles qui apprécient la jouissance entre femmes.

Nous retiendrons

L'hétérosexualité repose sur une morale de la reproduction et de la continuité mais ne rend pas toujours compte des fondements de la jouissance !

Chapitre 5.

Désir d'enfant

Si l'on veut parler d'enfant, il faut commencer par considérer sa place dans la société et dans la famille actuelle : l'enfant ne « tombe » plus par hasard, mais « arrive » au moment où ses parents l'ont programmé.

Autrefois, on faisait des enfants sans le vouloir, parce qu'on était marié et que c'était la conséquence des rapports sexuels dans le mariage; si, au bout de quelques mois, « rien » n'arrivait, on s'inquiétait même qu'il ne se passât rien. Faire des enfants n'était pas forcément une jouissance; c'était un devoir, comme le mariage du reste, il y a à peine cinquante ans.

Mais les choses ont bien changé. La femme voulant sortir de son unique rôle de mère et maîtresse de maison, il a bien fallu qu'elle soit « dégagée » de l'enfant. A cause de ces nouvelles aspirations, on a jeté dès 1967 les bases de la contraception.

C'était le grand virage : on ne ferait plus des enfants en grand nombre, mais des enfants au nom d'un grand amour. La baisse de natalité s'est ensuivie et l'attention éducative a augmenté : Freud n'avait-il pas dit et écrit que le bien-être de l'adulte dépendait en grande partie de la façon dont il avait été aimé « enfant »?

Ce qui conditionne la venue de l'enfant, ce n'est donc plus tant la famille préexistante, que l'amour qu'il va trouver et l'attention dont on va l'entourer. Ajoutez à cela quelques bons principes d'une société égalitaire où le travail n'est plus la seule fin d'une vie (1936), où les vacances apparaissent comme retrouvailles familiales, ainsi que le repos hebdomadaire obligatoire et vous obtenez les bases d'une nouvelle famille : on y travaille, on s'aime et surtout on aime ses enfants.

L'enfant fait partie intégrante de l'amour et un couple sur deux passe devant M. le Maire, l'enfant étant déjà conçu. Ce n'est pas le mariage qui est le support de l'amour, c'est au contraire l'amour qui est le garant du mariage, et s'il n'y a plus d'amour le mariage n'aura plus de sens. Le devoir de s'aimer pour faire un enfant a pris la place de l'obligation de se marier pour fonder une famille. Le système est complètement inversé : ce n'est plus la raison et le calcul qui servent de base à la cellule familiale, mais l'amour. L'amour et ses mirages, l'amour et l'inconscient dirigent la cellule de base de notre société... Un peu étrange quand on y regarde de près et quand on sait que le « désir » inconscient n'est *jamais satisfait* et qu'il *cherche toujours mieux*, ailleurs, plus loin, etc.

Voyant, en tant que psychanalyste, ces enfants fruits de l'amour qui deviennent « choses » à traîner ou à attribuer lors de la rupture du couple, je ne peux m'empêcher de penser qu'en les voulant nés au sein de l'amour on les fait vivre sur un volcan bien peu apte à leur servir de berceau... Et qu'ils entendent plus souvent le grincement de la dispute que le chant du bonheur.

Donc ces enfants d'aujourd'hui, on les désire, on les attend et on leur fait fête quand ils arrivent. Ils ne sont plus le « fardeau » du mariage, mais le « cadeau » de l'amour.

Quand on s'aime, le mariage est facultatif, mais l'enfant est quasi obligatoire, parce que les premiers moments de la vie à deux ayant réalisé les rêves d'union des deux partenaires, leur inconscient va les pousser vers un autre rêve : l'enfant. L'enfant est d'abord un enfant *imaginaire* puisqu'il prend naissance dans l'inconscient parental.

Que voulez-vous dire? Avant Freud et l'inconscient, on faisait tout de même des enfants de la même façon!

Certes! Mais pas du tout dans les mêmes conditions psychologiques, car le *hasard* tenait la place du *désir* et l'enfant arrivait sans consulter ses parents. Que de larmes chez les femmes qui attendaient leur huitième enfant à quarante ans! Et combien de temps ne fallait-il pas pour s'habituer à cet événement et l'accepter! Nous avons oublié tout cela car, depuis la contraception, les femmes ne font que les enfants qu'elles veulent faire, ou qu'elles estiment compatibles avec leur vie professionnelle.

Donc une femme enceinte, c'est une femme heureuse qui réalise son vieux, vieux désir d'enfant. Elle en imagine des choses sur ce bébé! Autrefois, la névrose dont nous avons parlé et qui est l'inadéquation de l'enfant face aux rêves identificatoires des parents tombait presque toujours sur l'aîné. Maintenant, ces rêves peuvent tomber indifféremment sur chaque enfant longuement espéré. On a peu d'enfants mais que ne désire-t-on pas, que ne fait-on pas pour eux! Pour qu'ils « arrivent »... Où? Là ou notre désir les attend...

Ils n'y arriveront sûrement pas ces chers petits, bien que nous les aidions, les suivions, les poussions, jusque sur les bancs de l'école! jusqu'au baccalauréat! Mais voilà, après le bac – s'ils parviennent à l'obtenir –, ils ne savent pas choisir une branche d'études ou une orientation professionnelle qui réponde à leur désir. Le plus souvent, ils n'ont pas de désir, sauf celui de récompenser de si gentils parents. L'impasse est là et *elle vient de loin.* Quand on y est maintenant, on s'interroge, on tourne le problème dans tous les sens : « Voyons, que se passe-t-il? Il a pourtant TOUT eu, on a TOUT fait pour lui, tous les sacrifices qu'il fallait. Et puis, on l'a tellement voulu, tellement " désiré "... » Justement!...

Mais n'anticipons pas. Donc une femme enceinte est heureuse de porter cet enfant qu'elle a voulu et programmé maintenant, en fonction de l'appartement, de la situation de son compagnon et de la sienne, surtout de la sienne, car elle doit veiller à ce que l'enfant ne l'entrave pas dans sa réussite professionnelle. C'est la femme qui, par la contraception et en fonction de sa carrière, *choisit* le moment idéal pour faire un enfant. *Les femmes sont actuellement les seules responsables* du nombre d'enfants dans le pays.

Est-ce à cause de leur vie professionnelle que les femmes font si peu d'enfants ?

Pas uniquement, le niveau de vie de la famille intervient beaucoup dans cette affaire. Nul ne voudrait destiner son enfant à ne pas avoir « tout ce que chaque enfant est en droit de trouver dans son berceau » et les femmes font de savants calculs pour savoir si, compte tenu du prix de la crèche, du coût des Pampers, et de ce qu'elles gagnent en ce moment, l'enfant numéro deux ou trois serait une éventualité positive. L'enfant n'est décidé que s'il est un PLUS que le couple peut s'offrir. Tout cela paraît parfaitement étudié, programmé et exécuté, sans regrets, ni discussions inutiles, à croire qu'on décide d'une grossesse aussi simplement qu'on va acheter du pain pour le déjeuner.

Toutes les raisons pèsent dans la balance : le prix de ce bébé et l'argent que gagnent ses parents, mais également l'âge de l'aîné, l'âge des parents, la date des vacances (pour l'accouchement bien sûr) et même parfois la lunaison ! Des fois que ça influerait sur le sexe, comme le régime plus ou moins salé ou fromagé selon que l'on veut une fille ou un garçon...

Il en faut des conditions pour se décider au mieux ! On dirait que tout est conscient, que la naissance d'un enfant n'a plus rien à voir avec l'inconscient de ses parents. Eh bien, tant mieux ! Nous voilà débarrassés de ce gêneur !

Mais alors... l'I.V.G. ? Pourquoi y recourt-on encore ? Pourquoi les femmes font-elles de pareilles « erreurs » qui les mènent jusque-là ? Et certains médecins d'entonner un grand discours moralisateur sur l'I.V.G., que ce n'est pas un acte anodin, qu'il n'est pas sans conséquences, qu'on se trouve quand même devant un enfant à tuer...

Mais voyons, au moment où elle a conçu cet enfant, il est évident qu'elle ne se préparait pas à le supprimer. Au contraire! Elle le voulait inconsciemment de toutes ses forces. Elle s'est laissé piéger par son inconscient... Car pourquoi aurait-elle oublié sa pilule? Elle le dit d'ailleurs elle-même au médecin : « Je ne sais pas ce qui m'est passé par la tête ce soir-là. » Vous savez que, lorsqu'on dit : « Je ne sais pas ce qui m'a fait agir », on parle toujours de l'acteur invisible qui nous habite. Les erreurs en ce qui concerne la venue d'un enfant nous laissent présumer que, dans bien des cas, c'est l'inconscient qui l'a désiré.

D'ailleurs on a pu observer que beaucoup de femmes ont des désirs d'enfant nettement supérieurs au nombre de ceux auxquels elles donnent le jour. Une enquête de l'INSERM en 1980 révélait que quarante-quatre pour cent des femmes avaient moins d'enfants qu'elles n'en auraient souhaité! Inversement, trente-six pour cent en avaient plus et seulement vingt pour cent étaient satisfaites du nombre d'enfants qu'elles avaient mis au monde. Le désir d'enfant est une donnée indépendante des naissances réelles, ce qui veut bien dire que le nombre d'enfants qu'on a dans la tête est un chiffre absolument imaginaire, venant de notre inconscient et peu souvent compatible avec la réalité.

Par exemple, une fille unique peut souhaiter avoir beaucoup d'enfants, parce que seule elle s'est ennuyée souvent, et elle veut créer autre chose... Cela vient tout droit de son enfance et rejoint le fantasme d'une autre femme qui, issue d'une famille nombreuse, veut au contraire avoir une famille réduite. La réalité imposera peut-être à chacune le même nombre d'enfants et le souhait restera vœu pieux. Elles en parleront parfois : « J'aurais bien aimé... » On pourrait dire dans une formule humoristique : les enfants naissent, le désir reste... Et même, de temps en temps, la femme fait un rapide retour en arrière sur ses désirs d'enfant : si j'en avais quatre ou cinq maintenant, comment est-ce que se présenteraient les choses?

Oui, j'ai fait ce calcul souvent... Je ne croyais pas cau-
ser avec mon inconscient...

Notre inconscient est tellement têtu qu'il est difficile de
le semer. Regardez cette jeune femme qui vient d'avoir
son premier bébé, objet de tous ses rêves : on pourrait la
croire comblée. Elle oui, son désir d'enfant inconscient
non, puisque la voilà qui se met à penser au *suivant* qui
sera certainement de l'autre sexe. Comme s'il manquait
toujours quelque chose. L'inconscient n'est jamais content
et nous fixe toujours de nouveaux rendez-vous : cette
jeune femme « attend » déjà le suivant.

Les mots disent parfois autre chose que ce que nous
voulions dire, que ce qu'il conviendrait de dire... Il y a des
mots tout droit sortis de l'inconscient qui en disent plus
long qu'une longue explication...

Par exemple, si vous dites « apparemment », c'est qu'en
dessous de l'apparence il y a autre chose; si vous le dites
très souvent, c'est que ce qui se passe en dessous est aussi
important que ce que vous donnez à voir...

Quand vous dites « si vous permettez » en enlevant votre
vêtement, vous n'utilisez qu'une formule de politesse cou-
rante entre gens bien élevés; mais si, vous mettant à exposer un problème, les « si vous voulez » émaillent votre discours, il y a fort à parier que vous ne vivez qu'autant que
les autres vous en donnent l'autorisation... et ça peut aller
loin !

Cette jeune femme avec son bébé « suivant » signale
que son désir d'enfant continue sa route, au-delà de
l'enfant qui vient de naître.

Mais comment savoir si ce désir d'enfant vient de mon
conscient ou de mon inconscient?

Vous aurez beaucoup de mal à le savoir car
l'inconscient prend toujours des formes détournées et
emprunte souvent les sentiers battus des désirs et des
rêves les plus consciemment répandus. Vous voulez un

enfant pour commencer une cellule familiale, comme vous avez voulu faire des études, vous marier, etc. Maintenant vous en êtes à l'enfant, car vous avez réalisé tout le reste. Quoi de plus normal que ce désir d'enfant?

La vie est un long voyage où nous franchissons des montagnes, des océans, des déserts, avec des bagages dans lesquels se tient tapi et toujours invisible un personnage qui nous vient de l'enfance et qui malgré les années, malgré les situations nouvelles, se comporte toujours *de la même façon qu'avant.* Cela nous complique les choses, mais il faut bien avancer quand même avec notre inconscient! et l'inconscient des femmes est plein d'enfants!

Donner le jour à un enfant paraît la plupart du temps un projet conscient et raisonnable. Mais, en même temps que donner le jour, que voulons-nous *aussi?* C'est là que les réponses diffèrent selon les individus et selon les femmes, puisque c'est d'elles qu'il s'agit ici.

Les motivations sont multiples. En voici quelques-unes : « Je veux faire comme les autres femmes »; « Je veux être une bonne Mère »; « J'espère qu'il sera plus heureux que moi »; « Je n'imagine pas une famille sans enfants »; « J'ai besoin de cet enfant pour consolider notre amour ». En voilà des réponses différentes (et je ne les ai pas toutes citées), en plus du fait de désirer, comme tout le monde, une famille! Et parfois les raisons inconscientes priment sur les raisons raisonnables. Si l'inconscient s'en mêle trop, il peut y avoir discordance profonde quant à cet enfant à venir, qui du coup ne vient pas, l'angoisse s'étant levée et bloquant tout le système des neuro-hormones.

Quand est-ce que le système hormonal se bloque? Ou plutôt qu'est-ce qui arrête la fécondité normale d'une femme?

Il est impossible de répondre clairement à votre question car les forces inconscientes en jeu sont peu mesurables, et par celle qui les subit, et par celui qui les détecte. Ce que l'on peut affirmer, c'est que le désir d'enfant est un projet humain qui trouve sa réalisation lorsque le projet inconscient ne *déborde pas trop* sur le projet conscient.

La même chose se produit au cours de la vie, où nous devons à chaque instant vivre avec les décisions parfois abruptes de notre inconscient. Dans le déroulement d'une vie humaine, tout se passe bien dans la mesure où le conscient domine l'inconscient. Dans le cas contraire, l'individu n'arrive pas à vivre en harmonie avec lui-même : il souffre de névrose. Il y a des névroses qu'on peut appeler « névroses de conception », quand la femme attribue une trop grande importance au bébé, quand il doit représenter « autre chose » qu'un enfant nouveau. Il arrive en effet que la femme ne puisse pas donner le jour à ce qui ne serait que *recommencement d'elle-même*, s'inscrivant comme *rattrapage*, plutôt que comme création originale. Mais nous y reviendrons tout à l'heure à propos de stérilité.

L'enfant, n'importe quel enfant, représente pour une part, un projet *inconscient* en rapport avec notre propre enfance, et, pour une autre part, notre continuation réelle dans un monde en évolution, donc imprévisible. C'est pourquoi nous ne pouvons pas « prévoir » l'avenir d'un enfant : c'est dans cette part de liberté qu'il trouve sa possibilité de vie quand il vient au monde. Inversement, vous pouvez imaginer le lourd héritage névrotique de celui qui vient remplacer un mort, ou qui vient servir de réparation pour un autre enfant handicapé. Ce sont des choses dont le conscient ne s'occupe pas, mais qui font trébucher l'inconscient du nouvel arrivant, à moins qu'il n'arrive pas du tout.

Le projet d'enfant le plus viable est celui qui repose sur l'idée de prolonger la symbiose de deux êtres qui s'aiment, sous la forme d'un enfant « inédit ». En effet, ce mariage des corps va créer un être tout à fait « original » en tant que représentant de deux lignées différentes. L'homme qui veut avoir un enfant avec une femme lui dit « Je reconnais ta lignée comme bonne et souhaite l'adjoindre à la mienne » et la femme qui veut un enfant de tel homme et pas d'un autre reconnaît également « le positif de l'autre » à transmettre. Le nouveau-né aura un peu du père, un peu de la mère et beaucoup de lui-même, étant une création originale. Ses parents vivront *avec* lui, mais non *à travers* lui... ils formeront un trio.

On ne peut pas éviter que le désir d'enfant ne soit, comme tous les autres désirs, « infiltré » d'inconscient, mais tout dépend du degré d'infiltration : la plus ennuyée étant celle qui veut consciemment un enfant et ne voit pas pourquoi il refuse inconsciemment de venir. Mais il y a aussi celle qui, ne voulant pas consciemment d'enfant, se retrouve enceinte comme par hasard...

Alors, on peut vouloir consciemment un enfant et inconsciemment le refuser?

Oui, on peut tout à fait raisonnablement, comme toute femme, vouloir éprouver dans son corps l'expérience de la grossesse. Rare est la femme qui, à un moment de sa vie, ne succombe pas à l'envie de se faire faire un enfant et de le porter, même si les conditions externes ne s'y prêtent pas. Beaucoup de ces grossesses seront d'ailleurs interrompues avant la fin (I.V.G). Mais il est presque impensable qu'une femme ayant passé toute son enfance auprès d'autres femmes qui la pouponnaient et l'éduquaient, ne porte pas en elle, par *identification* pure, le projet d'être Mère à son tour.

De plus, les femmes sont en train de nous prouver que, même sans hommes à leurs côtés, elles désirent avoir un enfant, quitte à en prendre seules la charge. Que de femmes, au moment où elles décident une grossesse, prévoient que l'homme ne restera pas et n'hésitent pas pour autant à concevoir un enfant qu'elles élèveront seules. Pour connaître l'enracinement de ce fantasme de Mère, il suffit de voir le désespoir et l'acharnement de celles qui ne peuvent pas le devenir. Une partie de la vie de femme leur échappe; elles ne seront jamais « comme » la Mère, elles n'auront que le maternage, si elles adoptent, mais pas la maternité. C'est très dur de renoncer à ce qu'ont les autres et d'enterrer un projet nourri dès le plus jeune âge : souvenez-vous de la petite fille avec sa poupée, ses berceaux, etc. Elle a joué un rôle en attendant de le vivre, et elle ne pourrait pas le vivre? Jamais une femme ne se remet tout à fait de sa stérilité, excepté si elle la transforme en *autre chose* : idéalisation du rôle parental sous forme d'adoption ou toute autre création (artistique, pédagogique, philantropique...).

Pouvez-vous nous parler des causes « psychiques » de la stérilité?

Il n'y a pas une seule cause, c'est en général tout un réseau de sentiments « inconscients » avec lesquels une femme a toujours vécu, sans être dérangée dans sa réalisation personnelle. Mais là, au moment de devenir mère, *bon objet pour un autre*, un rouage se grippe. Cette femme en général n'a pas le sentiment d'être assez Bonne; elle y pare dans la vie par des actes délibérés de gentillesse, mais là que faire? Ce sont ses sentiments profonds qui sont en jeu, non ses actes visibles!

Elle a aujourd'hui le sentiment d'une injustice, mais cette injustice ne date pas d'aujourd'hui... Il y a longtemps qu'elle craint de ne pas être comme les autres, tout simplement parce qu'elle fait partie de ces petites filles qui n'ont pas CONVENU aux désirs de leur Mère, il y a plus de vingt ans.

L'enfant qui ne vient pas est ENCORE une preuve qu'elle n'est pas comme il faut, qu'elle ne CONVIENT toujours pas au désir des autres. Il s'agit maintenant de son mari qui n'a fait, dans l'inconscient, que prendre la place de sa Mère... La logique inconsciente exige qu'elle n'ait pas d'enfant; donc il ne vient pas.

Les sentiments qui coupent la route de la conception sont toujours des sentiments d'inaptitude éprouvés autrefois avec les parents, le plus souvent la Mère, mais parfois aussi le Père...

La jeune femme a laissé en suspens une relation intenable avec sa mère : elle était celle par qui le malheur arrivait et, bien que mariée, aimée par son mari (mais elle n'y croit qu'à moitié), au fond d'elle, tout est resté comme avant. Cet enfant est quelque chose de trop positif pour s'inscrire dans un inconscient qui a couleur de culpabilité et ne répète qu'une chose : TU ES MAUVAISE. Jusque-là cette femme avait réussi à surmonter ses problèmes psychiques, mais maintenant, devant la panne de son corps, elle se sent « dépasssée ». Et elle l'est, par son inconscient !

Cet inconscient s'exprime somatiquement, mais si on peut corriger les maladies de peau, soulager les migraines, atténuer les angoisses et déclencher médicalement une ovulation chez celle qui n'en a pas, on ne peut pas toujours expliquer pourquoi, dans certains cas, la reproduction reste indéfiniment bloquée. Il faut reconnaître que bien des stérilités demeurent inexplicables, même – et peut-être surtout – pour la femme qui s'en plaint. Comme d'un symptôme étranger. Comme d'une maladie à virus, alors que le virus réside à l'intérieur de son inconscient. Il ne reste plus que la psychothérapie pour aider cette patiente à apprivoiser son inconscient et à comprendre ce qu'il dit à propos d'enfant.

Peut-être, toute petite, s'est-elle juré de ne JAMAIS être Mère. Pour ne pas ressembler à sa propre mère. Peut-être son mode de vie est-il la DIFFÉRENCE qui l'éloigne de sa mère et de toute autre femme, et peut-être aujourd'hui son corps lui refuse-t-il d'être « comme les autres ».

Quand cette femme réussit à être enceinte, sa grossesse est habitée par la hantise de porter un enfant « pas comme les autres », c'est-à-dire « anormal » (combien de femmes d'ailleurs, sitôt l'enfant hors de leur ventre, demandent à ce qu'on vérifie bien qu'il a tout ce qu'il faut, comme si elles avaient eu peur de transmettre leur *différence inté-rieure* au corps de l'enfant !). Peut-être que faire un enfant serait AUSSI l'affaire de la Mère... Et que pour une fois elle lui ferait plaisir ! Peut-être cet enfant va-t-il représenter l'enfant qu'elle n'a jamais pu faire avec le Père mais qu'elle ferait *pour* lui.

Toutes sortes de sentiments inconscients chez la femme peuvent empêcher son corps de faire ce qu'elle veut consciemment, dans sa tête, et la lutte qu'elle mène pour avoir un enfant est, dans bien des cas, une lutte contre elle-même... L'inconscient d'une femme stérile est souvent son pire ennemi, impossible à atteindre du dehors, dont la fidélité (à lui-même) lui apparaît comme une trahison envers elle.

En tout cas, ce que l'on peut dire, c'est que plus la femme s'acharne consciemment à obtenir ce que l'inconscient refuse, plus la stérilité paraît incontrôlable, échappant à toute logique médicale... L'angoisse fait son apparition, signalant un conflit conscient-inconscient. Le seul remède consiste à ne pas focaliser uniquement sur la venue d'un enfant, et de trouver une solution de rechange qui dérivera l'inconscient sur une autre piste. Il arrive souvent que l'idée de l'enfant ayant été abandonnée par le recours à l'adoption, l'ovulation se remette tranquillement à fonctionner et que la femme conçoive un enfant alors que tout désir est transporté ailleurs.

Parfois aussi, il se peut que le couple soit en danger de rupture et que seul un enfant semble pouvoir établir un lien entre l'homme et la femme qui se savent menacés de séparation... Et cet enfant salvateur ne vient pas. La situation ayant évolué et le divorce étant engagé, l'angoisse étant tombée et l'enfant ne représentant plus une URGENCE, il est conçu lors d'une rencontre imprévisible... Les ruses de l'inconscient sont innombrables.

C'est vraiment terrible l'entêtement de l'inconscient chez un être humain. Je me rends compte que notre volonté est bien « insignifiante » à côté des décisions sans appel prises dans notre jeune âge à l'intérieur de notre corps qui a une sacrée mémoire!

Oui, l'inconscient s'exprime le plus souvent à travers le corps, mais c'est lors du refus de produire des hormones que cela est le plus visible. Ainsi l'anorexique qui fuit la Femme qu'elle est s'interdit d'avoir des règles et un enfant...

Je peux vous raconter une anecdote qui va vous surprendre. J'ai moi-même, sans le savoir et sans le vouloir, déclenché l'ovulation d'une anorexique rétive devant les projets d'enfant de son mari. Étant venue m'expliquer à quel point toute conception d'enfant lui était impossible de par le corps – utérus infantile et rétroversé, scoliose du dos, déformation du bassin –, elle finit par me dire à quel point tout cela l'arrangeait bien, car, comme toute anorexique, elle aurait eu horreur de se voir « grosse ». Je répondis alors négligemment qu'elle n'avait pas de souci à se faire, car tant qu'elle penserait ainsi aucune ovulation ne saurait se déclencher... à moins ... à moins d'une psychotérapie longue, très longue.

Elle partit rassurée pour son corps mais inquiète qu'une autre femme (moi) aille dans le même sens qu'elle, puisque tout son effort la poussait toujours à s'opposer au désir de quiconque et surtout d'une femme. Un mois après, j'appris par le mari ébahi qu'elle était enceinte! Et elle donna le jour à un enfant parfaitement constitué.

Le désir de s'opposer à une parole de femme avait été plus fort que celui de s'opposer au désir de son mari...

Vous voyez à quel point l'inconscient peut réagir à l'insu de l'individu et bloquer par l'angoisse les phénomènes les plus naturels.

Et si la femme est enceinte selon son désir, est-ce à dire qu'elle n'a pas de problèmes inconscients puisque son inconscient ne la sanctionne pas dans ses désirs?

Non, sûrement pas, il suffit de voir la joie de celle qui apprend qu'elle attend un enfant pour comprendre que cette joie est grandement composée d'éléments inconscients. Car enfin, faire un enfant, ce n'est pas un miracle ni un exploit, ni même un événement exceptionnel : c'est un événement quotidien qui peut se reproduire plusieurs fois dans une vie. C'est donc, en plus de la décision consciente et organisée, pour des raisons inconscientes que la femme exulte :

1° Elle va prouver à tous qu'elle est bien une *femme*. Vous savez que, depuis son plus jeune âge et le silence sur sa sexualité d'enfant, elle cherche à prouver par tout son corps qu'elle est « féminine ». Si les règles sont la première VRAIE preuve de féminité, elles sont tenues secrètes et ne représentent que la MOITIÉ du fonctionnement d'un corps de femme. L'autre moitié, qui le complète enfin et qui le révèle aux yeux de tous, c'est la présence de l'enfant. Autrement dit, l'ultime preuve de féminité, c'est la disparition des règles. Le langage courant le dit bien : les femmes « se voient » femme une fois par mois, mais c'est quand elles n'ont pas vu la couleur de leurs règles qu'elles voient l'enfant possible, et leur féminité triomphante.

2° Elle va porter l'enfant qu'elle *imagine* depuis des années et qui sera... plus heureux qu'elle, plus riche qu'elle, plus aimé qu'elle, etc. Le fantasme devient rêve possible et magnifique. C'est, disent les psychanalystes, « l'enfant imaginaire », le fruit de notre imagination qui a pris corps dans le ventre de la femme. Elle est tout émue de porter la merveille qu'est SON enfant et qu'une vie merveilleuse attend. Les parents souhaitent toujours le paradis pour leurs enfants, tant que le rêve n'a pas à se confronter à la réalité... Cet enfant peut rester imaginaire jusqu'à la première échographie, comme je l'ai déjà dit, ou jusqu'à ses premiers mouvements, perçus par la mère vers la fin du quatrième mois. Là sa présence devient réelle et la femme de l'enfant *rêvé* passe à l'enfant *attendu*. Il se manifeste déjà différent d'elle, s'agitant quand elle se repose et se tassant quand elle s'agite. Elle connaît alors la joie unique de vivre vraiment avec quelqu'un, de ne jamais plus être seule, ne jamais plus être VIDE, ne jamais plus être sans but puisqu'il EST là. Une femme est d'autant plus transformée psychologiquement quand elle est enceinte, qu'elle vivait en état dépressif auparavant. Le temps de sa grossesse, elle vit pour un autre et au *nom d'un autre* qui a le droit d'être heureux. N'est-ce pas merveilleux pour certaines femmes dépréciées, mal aimées, ayant peur de mal faire? L'enfant n'est-il pas vu par tous comme BIEN? Enfin la femme a fait quelque chose de *visiblement* bien et elle se ressent comme une femme SÛRE d'être ce qu'il faut être. Il y a des femmes qui ne prennent de décisions qu'à ce moment-là ; la décision c'est l'autre, à l'intérieur, qui a le droit de la prendre. Il y a des femmes qui n'ont de rapports sexuels agréables que le temps de la grossesse ; lui, le petit, il a droit de JOUIR.

Je n'en finirais pas de dire à quel point une femme peut être transformée pendant sa grossesse. La gynécologue vous dira que c'est hormonal, mais moi je vous dis que c'est aussi psychique.

3° Elle va rejoindre par cet enfant, par ce ventre plein, le ventre autrefois habité de la mère qui, elle, va devenir « grand-mère » par sa fille. Enfin la fille rattrape la Mère, longtemps indépassable et la rejoint par toutes ces sensations nouvelles que seule la Mère connaissait.

La première grossesse, c'est le point de *rencontre* ou de retrouvailles entre la Mère et la fille après un long cheminement parfois fort différent de ce que la Mère aurait voulu. L'enfant, certes, fait partie du plan et des souhaits de la Mère, mais il ne peut venir que par la volonté de la fille. Et elles se parlent, rient, font des achats ensemble. On dirait qu'elles ne se sont jamais quittées, alors qu'elles ont tant lutté l'une contre l'autre, parfois pendant de longues années.

C'est souvent le seul moment de la vie où une fille rencontre vraiment « l'Autre femme », sa mère, sans craindre d'être dépossédée de ce qu'elle a et qui appartient au couple, qu'elle a souhaité avec un autre et qui sera autre. Autrefois dit la mère. Autrement dit sa fille... A cause de l'autre qui est entre elles, tout est devenu « autre ».

Parfois, c'est moins gai, car la fille en profite pour régler son compte à la Mère et lui faire sentir qu'elle la tient à distance, que, maintenant, c'est elle qui tire les ficelles. La mère n'aura rien de cet enfant, rien à propos de quoi se réjouir, rien à raconter. La route est fermée, barrée à tout jamais : le désir de la mère pourrait encore VIDER la fille, la déposséder de cela AUSSI. Ce n'est qu'après la naissance qu'on lui apprendra la nouvelle. Il y a des retrouvailles impossibles avec des Mères dévorantes et les filles le savent. Pour ces femmes, l'attente de l'enfant, c'est l'endroit où elles se *vengent* de la Mère. C'est la Mère qui est maintenant sous condition.

Pendant sa grossesse, la femme peut atteindre un état d'équilibre par rapport à la Mère et aux autres femmes, qui introduit enfin pour la première fois le sentiment d'être « comme les autres ». Ce sentiment pourra rester par la suite dans la vie de la jeune mère, lui permettant d'avoir des relations très agréables avec les autres femmes. Mais il pourra disparaître et, le taux d'hormones étant brusquement tombé, dira la gynécologue, le rêve se séparant de la réalité dira la psychanalyste, la femme retournera brutalement à son sentiment d'être seule, VIDE, triste et ce sera la dépression après une trop grande joie.

Le baby-blues ou post-partum est d'autant plus certain que la femme avait été transformée par sa grossesse. Son état a trop brusquement varié et elle regrette de ne plus être *habitée*, de ne plus pouvoir vivre *à travers l'autre*, de ne plus pouvoir donner des nouvelles de *l'autre* à la place des siennes. Cet enfant lui avait donné le droit de VIVRE pendant neuf mois et elle vient de le perdre. Elle se retrouve comme avant et même pire qu'avant, car elle sait maintenant ce que recouvre la sensation de VIVRE.

Je pensais que ce genre de dépression était dû à la chute brutale des hormones.

Comment alors expliquer que la plupart des femmes n'y soient pas sensibles? Le baby-blues ne concerne qu'une minorité de femmes. Comment l'expliquer, sinon par une structuration inconsciente différente? Et comment expliquer l'état de surexistence de certaines femmes pendant le temps de la grossesse, par rapport aux autres?

Il y a des femmes qui, « inconsciemment », aiment être pleines parce qu'elles se sentent particulièrement seules et VIDES. Ce sont les clientes de l'I.V.G.

Comment cela? et que voulez-vous dire?

Tout simplement que l'I.V.G., acte parfaitement conscient, vient annuler un acte inconscient. Ce pourrait être une impasse – pour la mère et pour l'enfant – un acte contraire à la raison, que de conduire à terme une grossesse, d'où le recours à l'i.v.g., mais l'inconscient était parfaitement logique en la déclenchant, en appelant l'état de plénitude qu'elle représente. C'est à cause de cela que la femme a un air parfois hésitant quand elle demande au médecin de détruire ce qu'elle porte. Elle est, au moment de sa demande, en plein conflit conscient-inconscient, et il n'est pas correct, pour un médecin, de jouer sur la corde sensible de l'enfant, au risque de faire gagner un inconscient irréaliste par définition. Si la femme est venue jusque-là demander le contraire de ce que son inconscient réclame, croyez bien que ce n'est pas le moment de chercher pourquoi elle ne veut pas de cet enfant!

Elle n'en veut pas parce qu'elle s'est trompée, ce n'est pas un enfant qu'elle porte, mais une *erreur* due à son inconscient. Cette femme pleure l'impossibilité de rester « pleine ». Et l'homme médecin de triompher, en lui disant la célèbre phrase : « Madame, il fallait y songer avant! »

Mais tout le monde ne pense pas comme vous à propos de l'i.v.g. qui est le plus souvent assimilée à un meurtre d'enfant innocent...

Le recours à l' i.v.g., pour ceux qui ne font pas la part de l'inconscient, est en effet inexplicable. Les hommes, en particulier, qui n'ont pas l'habitude de porter le fruit d'amours impossibles, qu'ils ont largement partagées, s'étonnent d'une telle demande de la part d'une patiente ; les femmes comprennent mieux le problème, c'est évident.

Jamais une femme n'est plus proche de son inconscient que lorsqu'elle dit à un homme : « Je voudrais tellement un enfant de toi. » Elle lui dit, en fait : « Donne-moi le BON objet que ne m'ont donné ni père ni mère... » C'est un privilège effarant et l'homme doit réfléchir à ce qu'il vient d'entendre, car c'est peut-être un lapsus jailli tout droit de l'inconscient de cette femme. Tout dépend du contexte.

Pour l'instant la femme est « hors contexte », elle y restera le temps de voir que ses règles ne sont pas arrivées et que peut-être... Mon Dieu, est-ce possible? Voyons n'avais-je pas pris ma pilule ce soir-là? Elle compte fébrilement la plaquette de comprimés à prendre : il y en a plus que prévu! Elle a donc oublié plus souvent qu'elle ne le croyait! Vite le téléphone! Vite, docteur! Pour une maladie qui n'en est pas une : la maladie du plein. Vous savez bien! la maladie d'enfant, en somme! Et vous connaissez la suite... Des années après, cette même femme peut encore calculer mentalement l'âge qu'« il » aurait si elle l'avait gardé!

Dès le lendemain de l'intervention, elle peut être en pleine déprime : VIDE à nouveau. Tant d'angoisses pour rien! Ce n'est pas drôle l'I.V.G., quoi qu'en disent les médecins, c'est triste! mais tous les rêves ne peuvent pas devenir réalité!

Qui plus est, ce rêve-là s'interrompt publiquement sur une table d'opération. Vivement que le R.U.486 (pilule abortive non commercialisée) fasse de ce renoncement une chose « privée »! Nos rêves ne regardent que nous.

Vous êtes bien indulgente vis-à-vis d'un acte souvent remis sur la sellette comme critiquable, penseriez-vous que l'inconscient féminin est « indomptable »?

Je ne suis pas loin de croire que toute interruption de grossesse, chez une jeune fille, comme chez une femme, traduit en amont un besoin d'être « sûre » que le miracle de *l'enfant est possible.* Car s'il y a quelque chose qui est mis en doute, lors de la petite enfance de la fille, c'est bien son appareil génital dont personne ne lui souffle mot, qu'elle ne découvre qu'en partie et souvent par hasard. Donc s'inscrit dans la mémoire inconsciente féminine : je ne suis pas un garçon, c'est sûr, mais qu'est-ce que j'ai de féminin? Je ne VOIS rien... C'est peut-être pour cela que les femmes ont de temps en temps l'idée, à dix-huit ans comme à quarante, de vérifier qu'elles ont bien ce qu'il faut pour être femmes : elles veulent VOIR!

Les hommes fatigués de leurs femmes ne vont-ils pas quelquefois essayer si ça marche dans un autre lit que le lit conjugal? A chaque sexe ses inquiétudes, n'est-ce pas?

Dois-je refermer ce chapitre en me disant que le désir d'enfant est une chose terriblement complexe et pleine d'embûches?

Oui, certainement, la jouissance sexuelle et l'enfant sont les deux rendez-vous d'une vieille petite fille « angélique », avec une femme dont la vie génitale est d'un réalisme déconcertant. Les femmes restent pénétrées de l'idée que tout ce sang, des règles, de l'accouchement, ça doit bouleverser un homme ; c'est sans doute parce qu'elles en ont été les premières bouleversées. L'histoire génitale de la femme a quelque chose d'extrême : ou elle n'a RIEN ou elle a TROP, ou elle n'EST rien ou elle EST trop! Et il faut prendre tout cela avec le sourire, n'est-ce pas? Puisque depuis Ève et son enfantement dans la douleur, les choses ont bien changé. Les enfants ne nous tombent plus dessus par hasard et nous pouvons recourir à la péridurale. Nous procréons librement et accouchons dans la joie.

Vous nous avez parlé du désir d'être enceinte qui touche toute femme, de la grossesse qui la multiplie par deux, et de la tristesse de certaines quand l'enfant sort, mais vous ne nous avez rien dit de l'accouchement et des sentiments qui l'accompagnent.

Effectivement! Ce moment ne représente pas une mise entre parenthèses de l'inconscient, bien que les phénomènes physiques prennent la première place et *obligent* la femme, quoi qu'elle puisse ressentir, à éjecter l'enfant hors d'elle.

La fin de la grossesse handicape tellement l'activité habituelle de la femme qu'elle ne peut que souhaiter, tout à fait *consciemment*, être bientôt délivrée de ce fardeau. C'est pourquoi elle compte impatiemment les jours qui la séparent du jour J, prévu dès la première consultation, il y a neuf mois!

Cependant la plupart des femmes ressentent une crainte ancestrale transmise de femme à femme depuis ÈVE. Elle sait qu'elle accouchera dans la douleur et parfois cette douleur empêche la femme d'éprouver pleinement l'émerveillement de faire sortir d'elle un être vivant (c'est ce privilège-là que les hommes nous envient, c'est à cause de cela qu'ils nous veulent attachées pour toujours, ligotées à ces enfants qu'ils ne peuvent pas « enfanter »)...

Donc l'accouchement est douloureux et peut durer longtemps. Mais voilà que, depuis ces dernières années, la science vient à notre secours avec des moyens d'accélérer le processus et des moyens d'enlever toute douleur. L'accouchement « sans douleurs » n'est pas celui qui nous apprend à dominer la crampe douloureuse, mais celui où on supprime la douleur elle-même. En tant qu'analyste, je ne peux qu'être « pour », car nous ne devons pas avoir de ressentiment à l'encontre de cet enfant qui nous a fait souffrir. Ce serait commencer la vie avec lui dans le reproche, en le culpabilisant, et vous savez que la culpabilité est un mauvais moteur éducatif. Je souhaite donc que cet enfant ne procure que joie à ceux qui l'ont désiré, attendu, et enfanté!

Mais, en plus de la crainte de souffrir, qui peut refréner l'envie d'accoucher bientôt, un autre frein, plus insidieux, fonctionne chez certaines femmes. Plus elles auront aimé vivre leur grossesse, plus elles auront eu l'impression d'être dans un nirvâna avec leur enfant à l'intérieur d'elles, et plus l'accouchement aura du mal à se déclencher. En effet, *consciemment*, elles veulent voir leur enfant, mais *inconsciemment*, elles voudraient qu'il ne les quitte jamais.

Parfois le médecin, jugeant que le bébé a atteint le

terme prévu et que la grossesse ne pourrait se prolonger sans dommage, décide de provoquer médicalement l'accouchement. Rendez-vous est pris pour tel jour à l'hôpital et, devant cet ultimatum qui ne laisse aucune chance à la symbiose corporelle mère-enfant de se prolonger, il n'est pas rare que les contractions utérines se déclenchent d'elles-mêmes. Et c'est une parturiente qui se présente à la maternité... Coquin jusqu'au bout cet inconscient! Et tellement puissant! Ne permettant au corps de produire l'ocytocine nécessaire que lorsque la séparation devient inévitable!

Il est heureux que le corps médical vienne s'interposer ainsi entre mère et enfant. Et tant pis pour la grossesse interminable que souhaitait l'inconscient de la mère!

Que pensez-vous de la présence du Père, au moment de l'accouchement?

Le père est enfin là où il DOIT être. Après neuf mois de cache-cache à travers le ventre féminin, le père va VOIR son enfant. La mère a eu le privilège de sa grossesse, le Père, ce jour-là, a celui de reconnaître et *d'adopter* cet enfant qui devient « enfant des deux » et prend enfin le sens qu'il avait lors de sa conception : un lien de chair durable entre un homme et une femme, la concrétisation de l'amour entre humains. On ne peut pas aller plus loin dans le mélange de deux vies.

Le Père, bien qu'il n'y soit pas tenu, aura intérêt à aider de ses mains à la sortie de l'enfant. Il est intimidé devant ce miracle, et il craint de ne pas savoir s'y prendre. Mais il saura tenir cet enfant parce qu'il l'*aime* déjà comme lui-même : nous savons en général tenir nos enfants parce que nous les aimons et le Père ne fait pas exception. Père et Mère s'entraideront pour mettre au monde leur enfant comme ils auront à s'entraider dorénavant en tant que parents responsables.

Si la mère a pris quelques longueurs d'avance dans

l'intimité avec l'enfant, c'est maintenant au tour du père de rattraper le temps perdu en changeant le bébé, en lui donnant le biberon le plus souvent possible. Il découvrira alors les joies de s'occuper d'un enfant, l'inquiétude quand il pleure, l'envie de le satisfaire et la tendresse éprouvée envers ce petit corps livré aux parents et dont le bonheur leur appartient. Je pense que le nouveau Père, espèce trop rare encore, constitue là un lien parental solide qui écarte tout désir qui ne serait pas lié au bien de l'enfant. Je pense plus particulièrement aux rapports incestueux qui apparaissent parce que l'enfant n'est vu que comme « objet désirable » et jamais comme « lieu d'amour parental ».

Point de vue gynécologique

Fécondation et nidation

Si la puberté est une aventure indépendante de la volonté de l'adolescente, il n'en est pas de même pour la grossesse, car désormais la femme a le pouvoir de programmer la venue de l'enfant. Tout retard de règles survenant dans les vingt jours après un rapport sexuel évoque la possibilité d'une grossesse.

Si la disparition des règles est un signe capital, il n'est pas toujours significatif à lui seul et sera complété par un test de grossesse immédiat, en laboratoire de préférence, car les tests pharmaceutiques, bien que d'un usage facile, détectent moins sûrement le tout début d'une conception.

Le commencement d'une grossesse peut s'accompagner, sous l'effet massif des hormones, de nausées, parfois même de vomissements réflexes, plus rarement d'une abondance exagérée de salivation. Certaines femmes ne présentent aucun de ces signes externes.

Les seins augmentent de volume et tout le corps de la femme présente une tendance à la rétention d'eau sous l'effet des hormones produites en quantité importante lors de ces premiers mois, en particulier la progestérone dont nous avons vu le rôle déterminant lors de la préparation de l'utérus pour la nidation de l'œuf. La femme prend un aspect « bonne mine » dû à l'influence bénéfique des œstrogènes pour l'hydratation de la peau.

Œstrogènes et progestérone sont toutes deux produites au

niveau de l'ovaire qui continue son travail endocrinien en cas de fécondation.

Le corps jaune avec la production de la progestérone peut être considéré comme le premier bienfaiteur de l'enfant, car il assure la bonne organisation du berceau utérin : en effet, il est responsable de la prolifération accrue de l'endomètre où se nichera l'œuf et il bloque les contractions utérines lors de l'implantation, ce qui empêche le rejet habituel de tout corps étranger dans l'utérus.

Le corps jaune ne cessera son action qu'au troisième mois de gestation lorsque le placenta assurera le relais de la production hormonale nécessaire au maintien de la vie de l'enfant.

Mécanisme de la fécondation

Le 13e jour du cycle féminin, le follicule ayant beaucoup augmenté de volume et s'étant rapproché de la surface de l'ovaire, il va pouvoir éclater et libérer ainsi l'ovule au niveau des franges de la trompe qui coiffent l'ovaire.

L'ovule est quasiment aspiré par les franges et dirigé vers la trompe qui, grâce à ses cils vibratiles et à ses mouvements propres, va le véhiculer (car il n'a aucun moyen de locomotion) en direction de l'utérus.

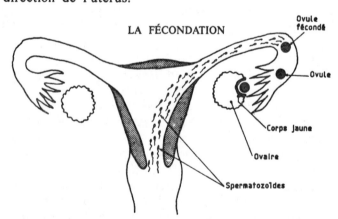

LA FÉCONDATION

Ovule fécondé

Ovule

Corps jaune

Ovaire

Spermatozoïdes

C'est dans la trompe que peut se passer la « rencontre », à condition que l'ovule trouve dès le premier tiers de sa route des spermatozoïdes : ceux-ci peuvent gagner la trompe en un quart d'heure après un rapport sexuel et attendre là 4 ou 5 jours le passage d'un ovule en mal de fécondation. L'ovule, en revanche, s'il n'est pas fécondé, meurt au bout de 24 ou 48 heures.

Parmi des centaines ou des milliers de spermatozoïdes, l'ovule ne se laissera pénétrer que par un seul. Le spermatozoïde, porteur du chromosome X ou Y, détermine le sexe de l'enfant dès cet instant.

L'ovule, enrichi du spermatozoïde, continue sa route à travers la trompe vers l'utérus : ce cheminement peut durer 3 ou 4 jours et s'effectue toujours grâce aux cils vibratiles et aux mouvements propres de la trompe. Tout en cheminant, l'œuf croît par division cellulaire : il se divise en deux puis en 4 puis en 8... La division a lieu toutes les 24 heures et, lorsque l'œuf arrive le 4ᵉ jour dans l'utérus, il se compose de 16 cellules et ressemble à une mûre (invisible à l'œil nu...) d'où son nom : la morula.

Nidation

Dans l'utérus, la division cellulaire se poursuit en même temps qu'apparaît une certaine organisation entre les cellules du centre, plus grosses et groupées en amas (bouton embryonnaire), et les cellules de la périphérie, plus petites, qui donneront naissance aux organes annexes, membranes et placenta.

L'œuf ainsi constitué se promène durant 3 jours dans la cavité utérine, cherchant le lieu idéal pour son implantation qui se fera le plus souvent vers le fond, là où la muqueuse (endomètre) est le plus richement irriguée en vaisseaux sanguins.

C'est le 7ᵉ jour que l'œuf opère sa fixation. En quelques heures, il va s'enfoncer dans l'épaisseur de la muqueuse utérine, grâce à un travail particulier de sa périphérie qui digère les cellules de l'endomètre, creusant ainsi une dépression qui lui sert de nid. A la fin du 9ᵉ jour, l'œuf est complètement enfoui dans la muqueuse utérine et il lui faudra neuf longs mois de maturation avant de devenir embryon, puis fœtus, puis bébé vivant sortant de son habitat lors de l'accouchement.

DÉVELOPPEMENT DE L'ŒUF

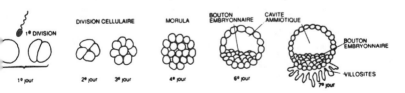

SCHÉMA DE LA NIDATION

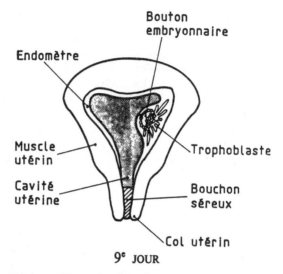

9ᵉ JOUR

Cette nidation effectuée, l'œuf va continuer à se développer et à se différencier pour donner naissance à tous les systèmes : cardiaque, osseux, neurologique, digestif, etc., qui participent tous à la vie du fœtus puis de l'être humain dans sa complexité.

Nous n'aborderons pas ici l'étude suivie du développement de l'embryon pendant les 9 mois qui constituent la gestation, cela étant l'objet de nombreux manuels spécialisés dans l'étude de la grossesse. Nous ferons seulement figurer ici deux schémas d'embryons qui permettent d'apprécier la rapidité de l'évolution des choses au cours des premiers mois :

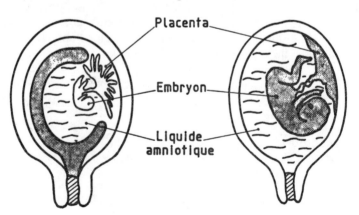

1ᵉʳ MOIS   3ᵉ MOIS

**Conditions nécessaires
à la fécondation et à la nidation**

– Le rapport sexuel doit avoir lieu les jours qui précèdent ou accompagnent l'ovulation présumée de la femme.
- Le sperme de l'homme doit contenir un nombre suffisant de **spermatozoïdes.**
– Le sperme doit pouvoir remonter du vagin vers l'utérus à travers le col utérin : son passage n'est possible qu'avec la présence de **glaire cervicale.** De l'utérus, les spermatozoïdes continuent leur route vers les trompes qui doivent être **perméables** pour qu'ils puissent y circuler.
– Dans la dernière partie de la trompe le spermatozoïde devra rencontrer un ovule qui ne sera présent que si le système hormonal de la femme a bien programmé **l'ovulation** et si l'ovaire est capable de la mener à bien.
– La nidation de l'œuf ne pourra s'effectuer que dans un **utérus sain** et avec l'aide permanente des **hormones** : œstrogènes et progestérone.
Les causes de la stérilité sont donc repérables chez l'homme (en cause dans 35 % des cas) comme chez la femme (40 % des cas). L'origine en sera soit **centrale** – défaut de commande hypophysaire et donc hormonale –, soit **locale** – un seul des organes nécessaires à la fécondation ou à la nidation est en cause.
Une cause extérieure à tout cela est représentée dans de rares cas par la destruction systématique des spermatozoïdes par la *glaire cervicale* : il s'agit d'une réaction immunologique rendant toute fécondation impossible.

La stérilité

Examens à pratiquer en cas de stérilité

Le bilan sera LONG, COMPLET et souvent DÉCOURAGEANT pour celle qui en est l'objet, mais c'est le premier pas vers la compréhension de ce qui se passe. Sans ce diagnostic, aucun médecin ne pourra aider efficacement le couple.

1° *La courbe de température* : qui permet par son brusque décalage vers le haut à partir de **l'ovulation** de signaler que celle-ci a bien eu lieu.

2° *Le spermogramme et l'examen de la glaire cervicale* après un rapport sexuel permet de vérifier la présence de **spermatozoïdes** et l'état de la **glaire**.

3° *Le dosage des hormones dans le sang* fera connaître les éventuelles perturbations des sécrétions **hormonales** responsables de la régularité du cycle ovarien.

4° *L'échographie pelvienne* : elle peut mettre en évidence des **anomalies** de l'utérus, des trompes ou des ovaires.

5° *L'hystérographie*, indispensable à la mise en évidence de **l'obstruction tubaire** : injection d'un produit opaque à travers le col de l'utérus dont le cheminement, suivi par radio, permet d'observer la remontée à travers l'utérus et les trompes.

6° *La cœlioscopie* : examen fait chirurgicalement en clinique et qui permet par l'introduction d'un tube lumineux par le nombril d'examiner directement les **organes génitaux internes**.

7° *La biopsie de l'endomètre* : examen par prélèvement direct dans l'utérus de cellules endométriales pour en vérifier l'état et détecter éventuellement les lésions de la muqueuse utérine.

Traitement de la stérilité

Devant le désespoir de celles qui ne peuvent pas concevoir, la médecine et la chirurgie ont fait des pas de géant et le traitement paraît aujourd'hui très au point, qu'il soit LOCAL ou HORMONAL selon la cause de la stérilité.

L'anovulation : traitée par des médicaments qui stimulent directement l'ovaire, afin d'induire une ovulation sans passer par le circuit propre de la femme puisqu'il est déficient. Sachez qu'avec ce traitement, le risque de grossesse multiple est augmenté.

Les anomalies du col : les lésions et infections seront traitées localement ; en cas d'anomalie de la glaire, le traitement sera hormonal.

Les synéchies utérines : ces adhérences des parois de l'utérus rendent la nidation impossible : la pose d'un stérilet ou d'un ballonnet aura pour effet de les décoller.

Infection de l'endomètre : l'endométrite sera traitée comme toute infection par les antibiotiques. Les microbes étant anéantis, une nouvelle muqueuse utérine saine pourra alors repousser.

L'obstruction tubaire : suite habituelle de salpingites dues, pour 60 % d'entre elles à des infections provoquées par les maladies sexuellement transmissibles qui, remontant par voie vaginale jusqu'à l'utérus, finissent par atteindre les trompes : plusieurs germes peuvent être en cause dont le Clamydia et le gonocoque.

Devant les échecs des insufflations et hydro-intubations, la microchirurgie (qui se fait sous microscope) permet d'envisager la plastie tubaire ou réparation de la trompe endommagée.

En cas d'impossibilité d'agir au niveau de la ou des trompes lésées, le seul moyen est de contourner l'obstacle. On organise alors une fécondation hors trompe entre l'ovule et le spermatozoïde prélevés chez les deux parents et mis en présence « in vitro » donc en éprouvette. Il s'agit de la fameuse FIV, plus connue sous le nom de FIVETTE et dont le produit sera réimplanté dans l'utérus.

La stérilité du sperme masculin

La pauvreté du sperme en spermatozoïdes sera palliée par un prélèvement de sperme qu'on centrifugera en vue de concentration et enrichissement ; la femme sera ensuite inséminée directement avec les spermatozoïdes de son partenaire.

En cas d'absence totale de spermatozoïdes (azoospermie) et sur la demande expresse du couple, il peut être pratiqué une insémination artificielle avec « donneur inconnu ».

L'anovulation et l'azoospermie entraînent pour le couple qui veut vraiment « faire » un enfant le difficile problème de l'introduction d'un tiers « inconnu » qui figurera dans l'histoire de l'enfant. Quelle sera la place de cet inconnu dans la relation parent-enfant ?

La stérilité psychogène

Elle peut être soit temporaire et due à un blocage de l'hypothalamus (donc blocage de l'hypophyse) provoqué par un stress ou une émotion brutale, soit définitive, le stress étant entretenu dans le couple par un conflit inconscient permanent.

Devant toute stérilité « inexplicable », il est important que le couple décide de comprendre avec l'aide d'un tiers quel mécanisme inconscient est en jeu : il s'agit alors d'une psychothérapie.

Si toute solution s'est révélée inopérante, il ne reste qu'un moyen pour ceux qui veulent absolument un enfant : l'adoption. Les parents adoptifs doivent savoir que le lien affectif tissé avec l'enfant durant des années vaut bien « la voix du sang... ».

I.V.G.

L'interruption volontaire de grossesse, après avoir été pratiquée pendant des décennies dans l'illégalité la plus totale et parfois dans des conditions déplorables pour les femmes, a enfin reçu un statut légal avec remboursement par la Sécurité sociale. Toute femme peut désormais en faire la demande en cas de nécessité et voir cette demande prise en compte dans des conditions médicales satisfaisantes.

L'I.V.G. est actuellement possible avant la 10e semaine de grossesse (pour les filles mineures une autorisation parentale est nécessaire). Elle nécessite une première visite chez le médecin, suivie d'une semaine de réflexion avec obligation de se rendre au Planning familial ou auprès d'une assistante sociale pour exposer son cas et discuter du bien-fondé de la demande. Cette demande n'est JAMAIS refusée si le désir en est clairement exprimé. L'intervention est un acte médical qui se pratique dans les centre d'orthogénie et dans les cliniques privées.

Méthode actuelle employée pour une I.V.G.

La méthode par aspiration est actuellement la plus utilisée parce qu'elle évite toute intervention chirurgicale et ne lèse en aucune manière l'appareil génital féminin.

Cette aspiration a lieu avec ou sans anesthésie selon le lieu où elle est pratiquée, le médecin qui en a la charge, ou la demande expresse de la femme. Il s'agit d'introduire dans la cavité utérine, en passant par le col utérin, une canule creuse reliée par un flexible à un flacon dans lequel on a créé le vide : l'aspiration venant du flacon a pour effet de décoller et d'aspirer le contenu de l'utérus, c'est-à-dire l'embryon et ses annexes.

L'aspiration se fait en quelques minutes : 3 à 5 minutes sont nécessaires à cet acte, pratiqué en salle d'opération aseptique.

La durée d'hospitalisation est variable et dépend du type

d'anesthésie choisi : la femme, entrée le matin, repart le soir, ou le lendemain.

Risques et complications de l'i.v.g.

- Les perforations de l'utérus, assez rares du fait qu'on utilise des instruments mousses; mais si l'utérus est très coudé en avant ou en arrière, cette complication peut se produire : elle est peu grave et se cicatrise dans les jours qui suivent.
- Les hémorragies, rencontrées surtout lorsque l'i.v.g. est pratiquée tardivement; elles nécessitent rarement une transfusion.
- La rétention de débris utérins; elle est signalée par une montée de température et une nouvelle aspiration est pratiquée afin de parachever l'opération.
- Les infections, autrefois si redoutées, ne se voient pratiquement plus car les interventions étant pratiquées en milieu stérile, la femme est automatiquement protégée de ce genre d'accident.

L'avortement chimique (RU 486)

Depuis peu il existe un produit, le RU 486 ou pilule abortive qui, en fait, n'a rien d'une pilule, mais est le moyen chimique de réaliser l'avortement sans intervention chirurgicale. Elle est efficace à 95 % des cas à condition d'être associée à une piqûre ou un ovule de prostaglandine : la femme n'aura pas plus de 4 semaines de grossesse donc pas plus de 15 jours de retard de règles, assorti d'un test de grossesse positif.

La marche à suivre est la même que celle de l'i.v.g., c'est-à-dire que la femme doit se rendre dans un centre d'orthogénie pour faire sa demande, ayant déjà fait son test de grossesse. Sa demande sera prise en considération, mais la femme devra réfléchir pendant un délai d'une semaine (ce délai de 8 jours est obligatoire de par la loi Weil à propos de l'avortement).

Elle retournera donc la semaine suivante au centre où elle absorbera en une seule prise 600 mg de RU 486 et recevra le lendemain une piqûre ou un ovule de prostaglandine : la femme étant au repos et gardée sous surveillance médicale, l'expulsion se produira dans les 3 heures qui suivent ou, dans la majorité des cas, dans les 24 ou 48 heures suivantes, sous forme de saignements abondants avec caillots et débris placentaires. Cette hémorragie peut se prolonger en s'atténuant pendant 8 à 12 jours.

Actuellement le RU 486 n'est délivré que dans certains centres où le contrôle médical est très strict, mais le nombre de ces centres va augmenter dans les années qui viennent car c'est une méthode d'avortement moins traumatique qui ne demande pas d'intervention directe sur l'embryon.

Nous retiendrons

Si vous avez laissé passer les 48 heures de la pilule du lendemain (forte dose d'hormones prise dans les 48 heures après le rapport fécondant), si vous avez dépassé la 4e semaine pour l'avortement chimique, si vous avez même dépassé la 10e semaine et l'i.v.g., il ne reste plus que l'avortement chirurgical **illégal** en France. Les centres de Planning vous donneront des adresses en Suisse, en Belgique, aux Pays-Bas et en Angleterre.

Chapitre 6.

Contraception

Nous avons parlé de l'enfant comme fruit d'un rêve longtemps caressé par chaque femme, enfant qui vient ou ne vient pas, selon que l'inconscient le veut ou non. Nous envisagerons maintenant ce que fait l'inconscient, quand la femme refuse consciemment l'enfant et qu'elle interpose, entre le rapport sexuel et lui, une contraception.

Ce comportement de refus temporaire de l'enfant laisse supposer que la femme a d'autres désirs à satisfaire avant de songer à l'expérience que toute femme veut connaître. Elle a pris conscience qu'elle ne se réduisait pas à un utérus dont la fonction était de porter des enfants et qu'elle avait envie de se procurer par son travail une certaine place dans la société, en employant d'autres capacités, d'autres compétences, que celles de la reproduction.

La contraception figure au programme de toute femme qui estime n'avoir pas momentanément à sa disposition, ou ne pas remplir les conditions requises pour rendre un enfant heureux.

Elle est employée aussi bien par la femme jeune et célibataire qui change souvent de partenaire, que par celle qui vit une longue période d'essai avec un compagnon, ou encore par la femme mariée qui a eu le nombre d'enfants qu'elle souhaitait et qui verrait un nouvel enfant comme handicap à l'épanouissement de sa carrière.

La décision de la contraception n'est-elle pas difficile à prendre puisqu'elle oblige la femme à choisir entre deux désirs?

Toutes ces femmes ont en commun un point de vue semblable vis-à-vis de l'enfant : il n'est pas TOUT dans la vie, il est le PLUS que l'on peut s'offrir, quand les conditions matérielles pour le recevoir sont réunies. C'est dire que les femmes qui recourent à la contraception sont celles de pays évolués, où l'on atteint par son travail une certaine aisance et où la nécessité de survivre n'est plus l'objectif primordial de la population.

Les pays développés, dont nous sommes, ont depuis longtemps en ce qui concerne l'enfant, substitué à l'idée de « FATUM », celle de « DÉSIR »... et ce désir tient compte à la fois de l'intérêt des parents et de celui de l'enfant, c'est-à-dire que sa venue doit être compatible avec la vie professionnelle et sociale des parents.

Est-ce le freudisme ou le féminisme qui nous a influencées? Est-ce le désir d'avoir un enfant dans de bonnes conditions pour lui? Ou le désir de vivre notre vie personnelle dans de bonnes conditions pour nous?

Certainement l'un et l'autre, car la femme voulant accéder à une vie sociale a dû d'abord se libérer de ce qui la retenait chez elle, c'est-à-dire de l'enfant. La femme d'aujourd'hui ne procrée que dans la mesure où elle le désire vraiment, mais, ce faisant, elle se met en position d'accueillir « favorablement » l'arrivée de l'enfant, ce qui, psychanalytiquement, ne peut être que bénéfique à l'enfant lui-même.

De même que son histoire avec l'homme est devenue « roman d'amour », de même sa maternité devient affaire de « désir » et nous avons vu comme le désir d'enfant fait partie de l'inconscient de toute femme à des titres divers. En tout ce qui concerne la contraception, la femme, qui a les moyens d'avoir ou de ne pas avoir d'enfant, paraît beaucoup plus engagée que l'homme... Dans la procréation, acceptée ou refusée, c'est la femme qui, prenant les moyens, a également pris le pouvoir. Il n'y a plus d'enfant que « désiré » par la mère et parfois le désir ou le non-désir de l'homme n'entre même pas en ligne de compte. La femme est ainsi passée en peu de temps d'esclave du désir de l'homme à maîtresse des conséquences du rapport amoureux.

La contraception est-elle aussi évidente au lit que sur le papier? Autrement dit est-ce que la contraception n'enlève pas quelque chose à l'amour?

Effectivement, l'enfant imaginaire étant « barré » par la contraception, certaines femmes, dont le fantasme amoureux est de recevoir un enfant de l'homme, peuvent éprouver une jouissance moindre. Le risque attaché à l'amour était pour elles bénéfique sur le plan inconscient... Ce risque – ou cette chance – d'une symbiose prolongée par un enfant leur échappant, la symbiose leur paraît moins totale... Il y a et il y aura toujours des gens qui trouvent les choses d'autant plus intenses qu'elles sont plus risquées... C'est ainsi que certaines femmes, amoureuses d'hommes impossibles pour elles, refusent toute protection et vont jusqu'à attendre un enfant. Quitte à le faire disparaître par la suite, puisqu'il est impossible à faire naître dans la réalité... Enfant de rêve... Venu d'un amour impossible, d'autant plus intense qu'il réveille des passions infantiles brûlantes pour des adultes autrefois « interdits »...
L'interdit, le rêve impossible, sont des composantes qui peuvent donner à l'amour le visage de la passion... Qu'on se le dise...
Pour d'autres femmes, moins œdipiennes et moins attachées à recevoir quelque chose de leur partenaire qu'à éprouver elles-mêmes l'intensité de leur fusion avec l'autre au cours de l'orgasme, l'enfant imaginaire est un contre-orgasme et la contraception leur rend toute liberté de se fondre délicieusement en l'autre. Le rêve consiste à être *un seul* pendant quelques secondes ou quelques minutes

et, le rêve étant atteint, le désir meurt de sa propre satisfaction pour un instant... Jusqu'à ce que nous revenions
sur terre, ravis d'avoir été aussi loin, désolés de nous
retrouver « à deux » et attendant déjà la prochaine échap-
pée au pays de l'unicité amoureuse. Ces femmes-là n'ont
rien à craindre de la contraception, car ce qui est imaginaire ce n'est pas l'enfant, mais *la fuite hors de soi-même*
en l'autre.

Toutes les contraceptions ont-elles le même effet psy-chologique? Ou la réaction peut-elle varier selon la contraception choisie?

La réaction psychologique est d'autant moins marquée
que la contraception n'est pas directement imbriquée dans
les gestes positifs de l'échange amoureux. Ainsi la pire des
contraceptions sur le plan psychologique est évidemment
le retrait qui empêche l'un de donner, l'autre de recevoir
et laisse les partenaires complètement frustrés de
l'échange tant rêvé. La contraception est d'autant moins
gênante qu'elle prend place loin du rapport sexuel et que
sa présence comme barrage à une symbiose prolongée des
corps peut plus facilement s'oublier.

Tout contraceptif du dernier moment, toute manipula-
tion extérieure aux gestes de l'amour (ovules, éponges, gel
pour la femme, préservatif pour l'homme) ne peuvent que
déranger l'imaginaire. Ils rendent souvent nécessaire un
deuxième départ permettant d'oublier le geste réel de
refus qui vient d'être fait.

Nous voyons donc que la contraception ne laisse pas
indifférent l'inconscient et que la femme peut en éprouver
une modification de sa relation sexuelle, en plus ou en
moins de jouissance. Effectivement, si nous nous souvenons que la réussite physique du couple est fondée sur
l'axiome inconscient « Je VEUX ce que tu VEUX », lequel
devient chez la femme « Je VEUX recevoir ce que tu VEUX
me donner », il est évident que, la possibilité de l'enfant
étant enlevée, ce qu'elle VEUT recevoir ne peut être que la
jouissance. La contraception établit *l'orgasme* comme but

essentiel du coït et la sexualité devient le support du couple et le lieu principal de *demande inconsciente.*

Autrefois, une femme frigide avait des enfants et ne s'inquiétait pas autrement de sa frigidité. Aujourd'hui, la contraception ayant permis de reconnaître comme but de la vie à deux, au même titre que l'enfant, la réussite de la vie sexuelle, une femme qui n'arrive pas à l'orgasme avec son partenaire en éprouve une inquiétude certaine. Et son partenaire aussi.

La contraception va de pair avec l'autonomie de la jouissance ; elle sépare clairement « plaisir » et « procréation » qui ne cheminent plus de concert que pendant les quelques mois où le couple souhaite avoir un enfant.

La jouissance partagée est devenue le ciment du couple, l'enfant n'étant qu'accessoire... C'est un bouleversement absolu des valeurs qui régissaient la vie des femmes, et un bouleversement très rapide : il s'est produit en l'espace de trente ans à peine. La vie d'une femme ne se résume plus à troquer le rôle de fille contre celui de mère. La vie d'une femme passe désormais par sa réussite sociale et professionnelle, par la couleur de ses amours, par les joies de ses maternités et par le sentiment d'avoir développé toutes ses possibilités « d'être » humain-féminin.

Donc, sans contraception, la femme n'aurait pas pu accéder à sa liberté ?

Non, et ce n'est pas le travail qui signe la vraie liberté de la femme, mais la possibilité de ne plus être l'esclave ni de l'amour ni des enfants. Les femmes ont fait leur premier pas vers l'autonomie, précisément par le libre accès à la contraception (qui fut si difficile à obtenir auprès d'une assemblée d'hommes !). Et vous savez que toutes les religions ne l'acceptent pas, dans la mesure où elle ne respecte pas le cycle « naturel » de la femme... La culture n'est pas toujours l'amie de la nature, mais l'évolution ne se fait qu'en domestiquant la nature...

Au même titre que Galilée, Newton et Pasteur, Pincus, en découvrant le cycle hormonal et son fonctionnement, a été à la base d'une grande évolution humaine. Non seulement nous ne sommes plus « l'objet » de nos hormones, mais ce sont elles qui nous permettent d'accéder à la liberté. La méthode contraceptive orale par pilule permet d'une part au couple d'organiser sa reproduction et d'autre part aux jeunes de pouvoir essayer la vie à deux sans en subir les répercussions. Toute la vie des femmes très jeunes et moins jeunes en a été transformée, car le mariage a cessé d'être une « obligation » pour devenir « décision libre ».

La sexualité de « devoir » est devenue « plaisir », les lois de ce plaisir ont été recherchées par les sexologues qui ont largement contribué à ce que la femme prenne sa part en ce domaine comme dans tous les autres, au côté de l'homme.

Nous sommes loin, désormais, de la conception machiste et freudienne d'une femme « vaginale »... qui convenait si bien à l'homme. Et c'est des femmes que vient le mouvement contre l'excision pratiquée sur d'autres femmes dans d'autres pays.

Les femmes trouvent intolérable de voir certaines de leurs sœurs « castrées » de leur pouvoir de jouissance en même temps que contraintes de crouler sous le poids de grossesses et d'enfantements à répétition. La contraception, qui permet de revendiquer la jouissance et libère la sexualité, est également un fait de culture qui protège (ou pourrait protéger) le monde de la surpopulation et du sous-développement.

C'est donc une étape nécessaire à l'équilibre planétaire...

Oui, et c'est une des premières choses qu'apporte la civilisation aux peuples sous-développés. Nous ne sommes plus dans les temps anciens où l'homme prenait l'enfant pour un cadeau des dieux et n'en voyait pas le rapport avec le coït...

Et que pensez-vous de la stérilisation définitive chirurgicale de la femme?

Il faut dire qu'elle n'est pratiquée dans nos pays que sur des femmes qui en font la demande, qui ont déjà des enfants et qui ont plus de quarante ans, donc des femmes qu'en réalité cela ne va priver de rien. Mais le fait que la demande soit consciente et la procréation peu vraisemblable n'évite pas à l'inconscient de s'inquiéter de ce qu'il ne pourra plus RÊVER... et n'empêche pas la femme, à la veille de l'intervention, de ressentir une angoisse liée à l'idée de perdre une des caractéristiques de la féminité, donc quelque chose qui touche à son identité inconsciente. Là comme dans l'I.V.G., c'est la raison qui fait agir, mais l'inconscient n'en souffre pas moins quelque part. Il ne faut donc pas s'étonner des sentiments contradictoires qui peuvent se faire jour à l'occasion de la stérilisation ou de l'I.V.G. : il s'agit, dans les deux cas, de consentir à se castrer du plaisir, réalisé ou rêvé, de porter un enfant en soi, et c'est toujours difficile à assumer, avant ou après.

La contraception est un acte conscient et raisonné intervenant sur un inconscient dont la logique ne nous apparaît pas toujours et dont les réactions somatiques nous surprennent parfois : aussi ne vous inquiétez pas de l'envie de pleurer ou de partir en courant qui vous envahit au moment de décider du jour et de l'heure. L'inconscient déteste la réalité. Si le médecin, surpris, vous demande ce qu'il y a, ayez le courage de lui répondre : « Tout va bien, docteur, mais il FAUT que je pleure... »

C'est la défaite pour votre inconscient qui rêve tellement de symbiose, c'est lui qui pleure en vous... Mais ce n'est pas lui qu'il faut écouter ce jour-là.

La contraception

La contraception légale date de la loi Newirth votée en 1967, mais il a fallu attendre 1975 pour en voir l'application se généraliser grâce au remboursement par la s.s., voté en même temps que la légalisation de l'i.v.g. avec la loi Weil. A l'heure actuelle, plus de 2 femmes sur 3, de 18 à 50 ans, utilisent une méthode contraceptive.

Il faut distinguer, quand on parle de contraception, les méthodes connues depuis longtemps, dites « naturelles » telle la méthode Ogino, que certaines femmes utilisent encore et les méthodes nouvelles nécessitant l'emploi de médicaments ou l'intervention d'un médecin (stérilet).

Les méthodes naturelles

Le coïtus interruptus

La technique en est simple. Elle consiste pour l'homme à commencer normalement l'acte sexuel avec pénétration jusqu'à obtention de la jouissance de la partenaire et à se retirer rapidement au moment où il sent venir l'éjaculation : celle-ci se produit hors du vagin. Cette contraception n'est que moyennement efficace parce que la sérosité qui existe avant l'éjaculation peut contenir des spermatozoïdes. Il se peut également que le retrait soit trop tardivement exécuté... La fréquence des grossesses chez les femmes vierges montre à quel point les organes génitaux profonds de la femme sont accessibles aux spermatozoïdes, même sans éjaculation à l'intérieur du vagin et même si le rescapé est unique!

La continence périodique

Proposée par **Ogino** et **Knauss** en 1930, cette technique se fonde sur la détermination approximative de l'ovulation.

Il est alors souhaitable d'éviter les rapports dans les jours **précédant et suivant** immédiatement l'ovulation.

Le schéma est le suivant : éviter les rapports entre le 8ᵉ et le 18ᵉ jour du cycle, en partant du fait très général que l'ovulation se produit le plus souvent entre le 12ᵉ et le 14ᵉ jour. Cette méthode, ignorant les ovulations précoces ou tardives, est responsable de nombreuses grossesses non désirées.

COURBE DE TEMPÉRATURE

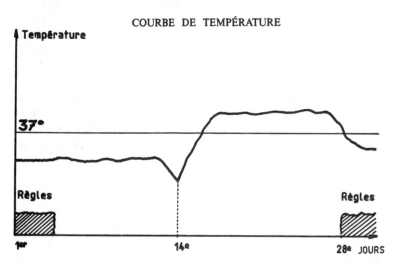

Mais elle peut être améliorée par la détermination exacte du jour de l'ovulation obtenue par la méthode des températures. La température sera prise chaque matin au lever : la femme pourra alors dater avec précision **l'ovulation** qui se signale par une chute d'un ou deux dixièmes de degré suivie d'une remontée au-dessus de 37° dans la deuxième partie du cycle.

Cette méthode peut être d'une application plus souple en la

combinant avec d'autres méthodes locales (ovules, préservatifs) pendant la période de fécondité précédant l'ovulation.

Les méthodes locales

Le préservatif masculin

D'utilisation très ancienne, il est particulièrement à l'ordre du jour depuis l'apparition du sida. Il a l'avantage d'être de taille standard, mais sa mise en place n'est pas toujours assimilable à un geste très érotique... Cependant il reste la seule protection efficace à la fois contre la grossesse et les maladies sexuellement transmissibles.

Le diaphragme ou obturateur du col cervical

Méthode un peu délaissée à cause d'une mise en place délicate à exécuter et assez anti-érotique pour la femme. Cependant, il garde son utilité dans certains cas avec un taux d'efficacité de 97 %.

Les spermicides locaux

Les ovules, crèmes, tampons ou éponges spermicides remplacent avantageusement les antiques injections si peu efficaces. Ces produits sont actuellement en pleine expansion et leur taux d'efficacité est bon : 96 % de réussite. Il est intéressant de savoir que ces contraceptifs locaux possèdent un pouvoir antiseptique qui protège l'utilisatrice contre les M.S.T.

La rapidité d'action est variable selon la forme utilisée : rapide (3 minutes) pour les crèmes et gelées dont l'efficacité dure environ 8 heures, lente (10 à 12 minutes) pour les tampons ovules dont l'efficacité cesse après 24 heures.

La pilule

Elle est de loin le mode de contraception le plus facile à utiliser et le plus efficace, tout en étant celui qui heurte le moins l'érotisme propre au rapport sexuel, la pilule étant prise loin du rapport lui-même. C'est la contraception la plus employée dans le monde où 50 millions de femmes l'utilisent.

Elle est composée des deux hormones (œstrogènes et progestérone) responsables du cycle ovulatoire et son absorption empêche de façon hormonale l'ovulation, donc la possibilité d'une grossesse.

La pilule agit à trois étages qui tous figurent comme nécessaires à la fécondation ou à la nidation.

- Elle provoque à l'étage supérieur le blocage de l'hypophyse, donc de l'ovulation.
- Elle entraîne l'atrophie de la muqueuse utérine, la rendant impropre à la nidation.
- Elle provoque la modification de la glaire cervicale et rend de ce fait impossible le passage des spermatozoïdes vers l'utérus.

C'est la méthode contraceptive la plus sûre, puisque l'efficacité est proche de 100 % (0,3 d'échec).

La pilule ne peut être prise qu'avec l'accord d'un médecin et sur ordonnance, car elle est soumise à certaines contre-indications médicales formelles.

Prendre la pilule suppose donc que vous ayez vu un médecin qui vous a fait faire un examen de sang pour dosage des lipides et glucides, que votre T.A. a été vérifiée et que ni tumeur ni fibromes n'ont été mis en évidence par l'examen gynécologique.

Vous la prendrez dès le premier jour des règles, tous les jours à la même heure afin que cela devienne une habitude (un oubli de 24 heures sera réparé par une double prise pour suivre les prévisions de la plaquette) et, de toute façon, vous devrez aller jusqu'au bout de cette plaquette avant d'envisager un changement pour le mois suivant. Les plaquettes sont de 21 ou 22 jours selon la marque et indiquent les jours du mois; il n'y a donc pas moyen de se tromper. A l'arrêt, surviennent de fausses règles ou hémorragie de privation. Après une interruption de 7 jours, une autre plaquette est entamée, vous êtes une femme sans ovulation et vous avez un cycle artificiel.

La pilule fait effet immédiatement, le **premier jour**, à condition que ce soit également le premier jour du cycle.

Il existe plusieurs sortes de pilules :
Les pilules monophasiques, biphasiques ou *triphasiques* selon que le dosage des comprimés en hormones est constant pendant tout le cycle, ou réparti en deux ou trois paliers selon le moment du mois.

Plus le produit est différencié, moins il paraît avoir d'effets secondaires indésirables (prise de poids en particulier).

Les pilules séquentielles : composées d'œstrogènes seuls pendant quelques jours et d'un mélange œstro-progestatif les autres jours, elles ont leur utilité dans certains cas très précis : par exemple après un curetage, pour faire repousser la muqueuse utérine.

Il est possible de donner à certaines femmes de la progestérone de synthèse à dose élevée du 5e au 25e jour du cycle pour des raisons médicales (fibromes, périménopause). Ces médicaments pris 20 jours par mois sont contraceptifs.

La micro-pilule à base de progestérone seule et faiblement dosée sera prescrite en cas de métabolisme perturbé (hypercholestérolémie, hyper-tryglicéridémie, diabète, hyper-tension).

Le stérilet

Le stérilet est un mode de contraception **local** et **mécanique**. C'est un objet qui, introduit dans la cavité utérine, empêche par sa présence toute nidation, tout en laissant se dérouler normalement le cycle ovarien naturel : seule la nidation est rendue impossible.

Le stérilet est réservé aux femmes ayant déjà eu un enfant et il est contre-indiqué dans certains cas précis : utérus trop petit ou fibromateux, infections gynécologiques à répétition, infection temporaire du vagin ou du col, règles très abondantes (le stérilet pouvant provoquer dans ce cas de véritables hémorragies mensuelles).

Description du stérilet

C'est un objet le plus souvent en forme de T ; un fil de cuivre est enroulé en spirale sur la branche verticale du T et deux fils

très fins pendent à son extré-
mité inférieure. Ceux-ci serviront à repérer la présence du
stérilet et ultérieurement à le
retirer lors du changement
(cf. schéma 1).

Le stérilet étant en place
dans l'utérus, ces deux fils
pendent à l'intérieur du vagin
et permettent à la femme de
repérer aisément avec un doigt
leur présence qui signifie que
l'objet est bien en place.

Ces fils serviront égale-
ment de prise nécessaire pour
retirer le stérilet, le moment
venu.

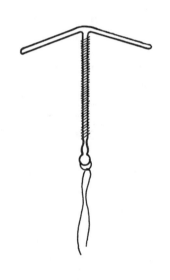

STÉRILET EN T

Mise en place du stérilet

C'est un acte médical, pratiqué au cabinet du gynécologue, sans anesthésie ni
locale ni générale; la femme
aura pris un sédatif dans les
heures précédant la pose, en
vue d'atténuer les douleurs du
col lors de la mise en place.

Après la pose, il est
recommandé de se reposer le
restant de la journée, car des
douleurs à type de crampes
ou de petits saignements sans
gravité peuvent survenir. En
cas d'hémorragie importante,
rappeler son médecin.

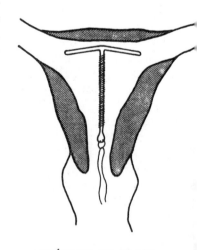

STÉRILET EN PLACE

Le stérilet est posé pendant les règles ou juste après et toujours **avant l'ovulation**. Un contrôle médical sera effectué un
mois plus tard et une deuxième vérification au bout de 6 mois.

Le degré de tolérance est imprévisible. Les signes d'intolérance seront donnés par des douleurs et des saignements persistants dans les jours suivant la pose. En effet, ces symptômes doivent normalement régresser en quelques heures.

Avantages du stérilet

C'est une contraception sûre (1 % d'échec) et à l'abri de l'oubli. A l'instar de la pilule, il n'apporte pas de gêne érotique sur le plan sexuel et il a l'avantage de laisser se dérouler le cycle naturel de la femme jusqu'à la nidation.

Inconvénients

Avant tout, la femme surveillera la survenue d'une **infection,** en étant attentive à toute augmentation des pertes blanches habituelles. Toute apparition de douleurs abdominales obligera à consulter rapidement, sans attendre des manifestations importantes d'infections (salpingite ou endométrite).

L'expulsion reste un risque permanent, c'est pourquoi l'utilisatrice est invitée à vérifier régulièrement la présence des fils au fond du vagin.

Toute prise de médicaments anti-inflammatoires est interdite et ce mode de contraception doit être signalé au médecin prescripteur d'une ordonnance.

Le risque de grossesse extra-utérine n'est pas écarté, le stérilet ne jouant que sur la grossesse à l'intérieur de l'utérus.

La stérilisation

Après l'âge de quarante ans, et sa famille étant définitivement constituée, la femme peut envisager une stérilisation chirurgicale par ligature des trompes.

Cette méthode est efficace à 100 % et se trouve en nette progression dans les pays anglo-saxons. En France, elle reste relativement rare, car, bien que tolérée par les chirurgiens, elle n'est toujours pas reconnue par la Sécurité sociale ni légalisée. Elle n'est **pas réversible.**

L'acte chirurgical est simple : par ligature ou section des trompes (différentes techniques), le chirurgien coupe la voie d'accès de l'ovule vers l'utérus : la méthode laisse à la femme son cycle naturel et ne bloque que la fécondation.

Cet acte chirurgical nécessite une hospitalisation de 36 à 48 heures et se pratique sous anesthésie générale.

Du fait qu'elle n'est pas réversible, la stérilisation chirurgicale est réservée aux femmes de plus de quarante ans ou à certains cas médicaux bien précis.

Situation de la contraception en France en 1990

Plus de 2 femmes sur 3, de 18 à 50 ans utilisent une méthode contraceptive.

Une certaine population féminine n'est pas exposée au risque de grossesse, il s'agit des femmes qui ont subi une opération de stérilisation (7 %), qui sont stériles (4 %), qui n'ont pas de partenaire actuellement (13 %), qui sont déjà enceintes ou cherchent à le devenir (10 %).

La pilule reste la première méthode utilisée : 32 % des femmes entre 18 et 50 ans, 51 % entre 20 et 24 ans, 44 % entre 18 et 19 ans.

Le stérilet vient en deuxième position avec 17 % d'utilisatrices qui se situent entre 35 et 40 ans.

Donc 59 % des femmes entre 20 et 40 ans utilisent l'une ou l'autre de ces deux méthodes.

Les autres méthodes représentent 15 % et sont : le retrait, la méthode Ogino, le préservatif, **les méthodes locales féminines** : diaphragme, ovules, crèmes, etc.

On nous parle, pour la décennie à venir, d'un vaccin contraceptif qui protégerait les femmes en âge de procréer pendant un an, sans empêcher une grossesse désirée l'année suivante. Cette méthode pourrait convenir à certaines femmes européennes et surtout pourrait freiner la démographie galopante des pays sous-développés.

Et il n'est pas interdit de penser qu'un jour la contraception hormonale cessera d'être exclusivement le domaine des femmes et passera peut-être par l'homme qui ne dispose actuellement que du préservatif et du retrait, méthodes assez peu satisfaisantes sur le plan de la jouissance !

Chapitre 7

Le passage

Il y a deux moments problématiques dans le grand fleuve de notre vie de femme. La puberté était l'arrivée tumultueuse dans l'écluse à plusieurs étages menant à l'instauration du cycle féminin. A l'autre bout de ce flux qui a duré trente-cinq ans environ, la périménopause est l'endroit quelque peu agité où l'on se prépare à entrer dans le grand sas de la ménopause. Nous resterons dans ce sas le temps suffisant pour que notre horloge intérieure change de rythme et prenne celui qui gouverne la femme dans la dernière partie de son parcours : un temps où elle ne compte plus pour VIVRE ni sur les charmes de son corps, ni sur le dialogue avec ses enfants dont le départ coïncide en général avec les premiers signes de la périménopause... La ménopause apparaît comme une castration physique souvent associée à une frustration affective : la femme va perdre en même temps son image de corps habituelle, repère de son identité physique, et l'image intérieure d'amour que lui renvoient ses enfants.

Le difficile dans la vie des femmes, c'est que les changements d'état sont brutaux et toujours en relation avec des changements du corps, dus eux-mêmes à l'affluence ou à la diminution des hormones féminines.

La femme avance par à-coups successifs et souvent par surprise, la surprise venant toujours du côté du corps, de sorte qu'elle doit régulièrement faire l'effort de s'adapter à sa nouvelle image : corps plat de l'enfance qui provoque tant de rages; corps délié de l'adolescente dont elle ne sait que faire; corps redoublé de la femme enceinte qui excite son goût à vivre; corps magnifiquement épanoui de la femme de quarante ans qui s'enorgueillit d'être « femme » tant les regards la suivent; corps qui s'alanguit, s'encoconne à la cinquantaine, comme s'il faisait des provisions pour une longue traversée. Effectivement, il reste encore environ trente ans à passer sans le secours des hormones. Autrefois, la vie nous quittait presque en même temps que les hormones, mais, depuis les progrès de la médecine, la vieillesse est devenue un âge à traverser au même titre que les autres.

La plupart des femmes ont passé leur jeunesse à attendre l'amour, leur maturité à rendre leurs enfants heureux autour d'elles, et c'est du dehors que leur est venue la réponse tant attendue : « Tu es aimée parce que femme, parce que mère... » Les hormones étaient là pour les rendre désirables et désirées, mères et infatigables auprès de leurs enfants et elles étaient heureuses parce qu'aimées.

La femme n'a jamais cessé de courir vers ce but qui fut celui de l'enfance : être AIMÉE ?

En effet, tout dans la vie lui a été raison de se faire « aimer ». Elle a utilisé tous ses atouts féminins pour conquérir d'abord l'homme, puis l'enfant, qu'elle a même voulu garder entièrement de son côté, pour être sûre d'en obtenir l'attachement. Sa vie a été une course endiablée en vue de satisfaire tout le monde à la fois : on pourrait penser qu'elle attend le moment où enfin, les oiseaux partis du nid, elle va pouvoir se reposer... Mais quel repos peut ambitionner celle dont la seule attente est d'être reconnue « utile » et « indispensable »? Aussi la femme n'aspire-t-elle jamais à la retraite aussi crûment que l'homme. Ses enfants ont bien grandi, mais elle se veut et se croit toujours « l'indispensable maman de toujours » et son mari est si habitué à chacun de ses gestes, à chacune de ses paroles, qu'il ne se rend pas compte des efforts qu'elle fait pour garder à leur amour le visage des premiers jours. Il n'entend pas les sirènes d'alarme qui se sont mises à hurler depuis qu'elle a vu qu'elle ne rentrait plus dans sa jupe de l'année précédente. Il n'entend pas les : « Tu trouves que ceci me va mieux que cela ? Tu ne trouves pas que cela me grossit un peu ? » Lui il ne trouve rien, mais rien, il l'aime comme une vieille amie, comme une bonne copine avec qui il a franchi mers et océans, il l'aime, mais pour lui c'est « naturel », voilà bien la grande différence entre homme et femme : pour lui l'amour est si « naturel » qu'on n'a pas besoin d'en parler. Pour elle, l'amour est un tel « miracle » qu'il mérite bien d'être signalé tous les jours comme durant encore.

Ce n'est pas parce qu'elle a quarante-cinq ou cinquante ans qu'une femme peut mieux s'accommoder d'un amour sans bruit, bien au contraire ! Plus les enfants s'éloignent, plus le duo de départ se reforme, plus la femme craint à nouveau de ne pas « être aimée ». L'horrible soupçon la reprend : et s'il ne l'avait épousée que par intérêt, s'il ne restait que par habitude ?

Le premier cheveu blanc, la première paire de lunettes, la première tache de son sur ses mains... Il n'en faut pas davantage pour que la femme imagine qu'elle a dépensé tout son capital de beauté et de jeunesse et qu'elle doit vite profiter des derniers éclats d'un corps qui va plonger. La femme de quarante-cinq ans est souvent celle qui déborde d'enthousiasme à l'idée d'une rencontre, celle qui ne craint pas de prolonger un moment de tendresse avec un inconnu et même de déserter la chambre conjugale au profit d'un petit studio où elle retrouve avec délices tous les débuts de l'amour.

Si le désir de l'homme est encore là, c'est que rien n'a changé, se dit-elle et peu lui importe que cet homme ait l'âge de son fils ou de son père, seule compte sa PAS-SION.

Il lui faut des preuves, des preuves qu'elle est toujours *désirable* et, comme ce n'est pas avec son compagnon de toujours qu'elle les trouve, elle se jette à corps perdu dans l'escapade. Attention, lui disent ses amies, si ton mari venait à l'apprendre et demandait le divorce... Mais elle n'écoute rien ni personne; d'ailleurs, elle est prête à divorcer si elle peut ainsi prolonger sa vie amoureuse. Le démon de midi s'attaque à la femme de quarante ou quarante-cinq ans dont les hormones commencent à donner des signes de fatigue. Cette femme devient plus nerveuse, plus inquiète, secrètement plus solitaire, elle commence à penser qu'il faudra un jour quitter la scène de ceux qui vivent, c'est-à-dire ceux qui aiment et sont aimés. Aussi va-t-elle tout faire pour se régénérer : l'amaigrissement et les crèmes antirides ne restent-ils pas, malgré les changements à l'Est ou à l'Ouest, les deux sujets principaux des journaux de femmes en tous pays?

Vous faites comme si la femme se réduisait à sa bonne mine et comme si son extérieur seul lui permettait et lui donnait le droit de VIVRE?

Absolument, la panique de la femme qui voit sur son corps le premier signe de la vieillesse nous prouve à l'évidence que la femme ne fait confiance qu'à son corps pour *exister*, comme si les responsabilités endossées ailleurs ne l'avaient en rien assurée d'une autre valeur que physique. Nous voyons bien que l'homme, à mesure qu'il avance dans la vie, use de la valeur de ses années pour briguer des postes à hautes responsabilités. S'il perd sa jeunesse, au moins gagne-t-il la sagesse, ce qui est une valeur précieuse dès qu'on a de lourdes responsabilités. Vient un moment dans la vie, où l'expérience dame le pion à la jeunesse. Mais cela n'est guère féminin, comme si la femme n'acquérait jamais le sens de sa valeur intérieure et gardait comme repère la beauté de la jeunesse. Ne retrouvons-nous pas là, intacte après tant d'années, la terreur de la petite fille de ne pas être « comme il faut » ou « comme les autres » et de devoir vivre comme au début « seule » parce que privée de ce qu'ont les autres?

Les hormones sont-elles à ce point le sel de la vie d'une femme?

Ni plus ni moins que pour un homme les hormones ne peuvent être rendues responsables de la réussite ou de l'échec social de l'individu. Mais ce sont les hormones qui font passer la fillette de l'état de neutralité infantile à l'état de femme désirable et ce sont elles encore qui, par leur arrêt lors de la ménopause, stoppent le désir libidinal chez la femme dès l'âge de cinquante-cinq ou soixante ans et la font retourner à la neutralité du corps, alors qu'elle a encore bien des années à vivre!

Si le déguisement a été le premier réflexe de la petite fille pour lutter contre l'absence de signe féminin sur le corps, le maquillage et les bijoux seront la défense de la femme au-delà de la ménopause : plus on perd ses atouts naturels, plus on en affiche d'artificiels afin de maintenir, entre intérieur et extérieur, le même équilibre que celui auquel on est habitué...

Plusieurs fois au cours de sa vie, la femme doit accepter d'être « différente » de ce qu'elle était mais, quand arrive la métamorphose de la cinquantaine, elle sait qu'elle n'a aucune chance de se retrouver, ensuite, du bon côté des choses. Bien au contraire! Ce qui explique sa difficulté à regarder vers son avenir : toute sa vie, toujours, elle a attendu un « mieux »; elle ne le peut plus.

Il y a lors de la périménopause et de la ménopause un refus d'avancer au rythme du corps : la femme arrache ses premiers cheveux blancs, elle change de coiffure, elle court les salons d'esthétique, elle se voue aux régimes croyant, par des soins redoublés, éviter le changement de ce corps qu'elle n'a jamais autant regardé que maintenant.

Certaines femmes aux alentours de la quarantaine se rendent compte tout à coup qu'elles n'ont pas joui de toutes les possiblités qui leur étaient offertes et qu'il leur manque un enfant... Elles se mettent en quête d'un géniteur en mal de rajeunissement et les voilà parties pour une nouvelle croisière avec l'attente d'un nouveau-né à 42 ou 44 ans... D'autres se jettent dans le sport ou le body-building. Jamais cette femme n'a mis tant de zèle à l'entretien de son corps, c'est une lutte acharnée pour retarder le plus possible les effets de l'âge. C'est comme si la fée Hormona en la touchant magiquement de sa baguette à treize ans lui avait fait cadeau de la jeunesse et de la beauté pour une durée limitée et que, l'échéance se rapprochant, la femme essayait de conjurer la prédiction qui la concerne.

N'est-ce pas naturel de chercher à repousser les effets du vieillissement, surtout quand il vous atteint de façon précoce, alors qu'il reste des années à vivre auprès d'hommes dont la libido ne suit pas le même decrescendo ?

Par bonheur, j'écris ce livre au moment où la médecine, par des progrès incessants, est en mesure de nous proposer la transformation du prêt fait par Hormona en prêt à long terme. Nous pouvons avoir accès au coffret mystérieux qui faisait partie de nos bagages, nous pouvons l'ouvrir et voir qu'il contient uniquement des hormones : les œstrogènes et la progestérone, dont ont dépendu pendant trente ans la fraîcheur de notre teint, l'égalité de notre humeur et notre courage à vivre malgré des cycles parfois bien embarrassants.

Nouvelles Eves, nous avons croqué la pomme du Savoir, nous avons appris à ne plus souffrir du caprice de nos hormones, appris à les gérer nous-mêmes et nous en obtenons une régularité qui s'accorde à la vie que nous menons auprès d'Adam qui, lui, passe progressivement de la jeunesse à l'âge mûr, puis à la vieillesse sans tambour ni trompette... Que de chemin fait depuis la condamnation du Paradis terrestre ! Nous enfantons au gré de notre désir, la souffrance promise nous est épargnée et, grâce au traitement de la ménopause, nous n'avons plus à craindre l'arrêt brutal de notre vie sexuelle à cinquante-trois ans !

Comment une psychanalyste est-elle amenée à sortir de son domaine pour nous conseiller l'aide physiologique par les hormones ?

Parce qu'à cette époque de la vie, entre quarante-cinq et cinquante ans, pendant la périménopause et la ménopause, les variations de l'humeur féminine sont souvent à mettre au compte de la chute hormonale qui vient aggraver une mutation psychologique déjà bien difficile à assumer.

Je ne dis pas que toutes les difficultés de la ménopause disparaissent avec le traitement hormonal, mais je pense qu'il est un adjuvant nécessaire à la mutation psychique traversée par la femme, au moment où celle-ci doit changer son échelle de valeurs et découvrir d'autres chemins à parcourir que ceux qu'elle a empruntés jusqu'alors.

Cette femme sans hormones, je la connais, pour la voir régulièrement parmi les autres consultantes : elle porte dans son regard toute la lassitude du monde, elle en a assez de vivre « comme cela » c'est-à-dire pas comme les autres, sans entrain, sans désir, sans plan autre que celui d'en finir. Progressivement, elle renonce à tout ce qu'elle aimait et, pire, progressivement elle renonce (elle qui a passé sa vie à cela) à se faire aimer et à se croire aimée. En fait, c'est elle qui ne s'aime pas « différente » et « diminuée », alors que tous les siens, la plupart du temps, lui accordent le droit à ces petites rides autour des yeux, à ces taches de son sur les mains ; ils l'aiment pour ce qu'elle est. C'est elle qui n'a jamais pu se défaire de l'idée grandie avec elle qu'une femme n'est femme que si elle est BELLE... C'est elle qui porte la marque d'une éducation où elle a souffert d'une inégalité physique qu'elle a toujours craint, plus que tout, de retrouver.

Alors le mieux n'est-il pas que cette femme vive auprès de ceux qui l'aiment selon le cœur?

Ce n'est pas une question de choix, mais d'évolution de la société. Actuellement les jeunes, pour trouver un emploi, sont le plus souvent appelés à changer de région et ils ont un logement si exigu que la cohabitation paraît impensable. Ces deux raisons ont totalement changé l'aspect de la vie au troisième âge.

Le manque d'intérêt pour la vie s'installe insidieusement après la ménopause, et la femme n'ose en parler à personne. De quoi se plaindrait-elle? Sa retraite va arriver, ses enfants viennent la voir, le chat et le serin sont toujours là... Que dire de sa déroute intérieure et à qui? Les femmes semblent ignorer les effets du tarissement hormonal qui entraîne la chute de la libido et elles continuent apparemment la route comme avant, mais le paysage intérieur est parfois dévasté par un chagrin incompréhensible.

Je me souviens d'un après-midi d'automne où je recevais pour la première fois Mme X. J'ai vu arriver avec l'air suppliant d'une enfant en panne une femme qui avait certainement été magnifique, au teint bronzé et aux yeux clairs. Ses premiers mot furent : « Je ne VEUX plus et je ne PEUX plus vivre, je viens vous voir mais si vous ne pouvez rien pour moi je me suiciderai. » Contrat accepté, j'écoute d'abord les raisons de ce désir mortifère : à l'âge de soixante-cinq ans ménopausée depuis cinq ans, elle n'avait plus aucun goût pour la « chose », que son mari, amoureux comme au premier matin, continuait de lui proposer... Elle ne pouvait plus regarder « ce » visage dans la glace, elle qui avait été si jolie. Du côté de l'intellect, même catastrophe : ancien prof passionnée de lettres toute sa vie, elle n'avait plus le courage de lire, même pas le journal... Les amies? Terminé! Elle ne voulait plus « VOIR » ou être VUE par personne. D'ailleurs, personne ne la comprendrait : elle avait tout eu dans la vie! J'avais devant moi l'OMBRE d'une femme très belle et très heureuse. Aucun signe névrotique avant soixante ans! Que du bonheur depuis son mariage! Je n'allais pas la prendre pour une dépressive.

Il y avait en elle quelque chose de dramatique et d'urgent qui me poussa à l'envoyer chez une gynécologue pour voir du côté des hormones... Petit sourire incrédule, mais c'était le contrat... Elle y alla...

Deux mois après cette unique consultation, je recevais une lettre libellée ainsi :

> *Chère Madame,*
> *Je vous remercie infiniment de m'avoir aiguillée vers le Dr D. Lorsque je suis venue vous voir, je pensais qu'il me faudrait pendant des années refaire cette route jusqu'à vous, uniquement pour vous parler puisque je vous savais psychanalyste ! Non ! Vous avez eu l'honnêteté de me dire que tout ce qui m'arrivait depuis cinq ans était peut-être une affaire hormonale. Je suis donc allée voir le Dr D. qui, aussi honnête que vous, mais dubitative sur le résultat, vu la longueur du temps écoulé depuis ma ménopause, m'a mise au traitement hormonal de la ménopause.*
>
> *Moi je ne pensais qu'une chose : c'était ma dernière chance ; au-delà la mort... Eh bien je REVIS, le premier mois de traitement a été un peu difficile, mais le deuxième se passe merveilleusement bien et je me suis ENTIÈREMENT retrouvée, marchant des heures dans les collines le matin, nageant dans ma piscine à 12° seulement ! Une résurrection ! J'ai retrouvé mon dynamisme, ma joie de vivre et surtout mes passions.*

Cette femme intelligente ne refusait pas la vieillesse comme un âge honteux et sa lettre le prouvait largement, elle avait refusé ce que beaucoup de femmes refusent : la honte de perdre ses moyens *brutalement*...

Et c'est là que les hormones représentent un atout considérable pendant quelques années, le temps de s'installer dans une autre vie : celle du troisième âge qui n'est pas faite que de difficultés!

Le psychanalyste seul ne peut pas rendre à la femme ménopausée ce qu'elle a perdu, d'autant moins que cette femme n'est plus d'âge à opérer un changement de structure complet, comme c'est le cas lorsque la dépression se fait jour en pleine vie.

A cette époque de la vie, la femme ne peut-elle même pas compter sur l'aide d'un thérapeute?

Ce n'est pas ce que j'ai voulu dire. Je considère qu'une thérapeute d'âge supérieur ou égal à la patiente et qui a traversé le même problème qu'elle peut être une aide indiscutable pour la femme de cinquante ans, mais le travail opéré est lent et sera plus efficace si le tonus de la patiente est soutenu par un traitement.

Je dis biens « une » thérapeute. A cet âge, comme au début de la vie de la femme, ce qui est en panne, c'est d'abord l'homo-sexualité : la femme a le sentiment de perdre ce qui est comme les autres femmes. C'est pourquoi le contact avec une femme lui rendra plus rapidement le sens qu'elle est bien toujours du même sexe que cette femme à qui elle parle et à qui elle fait confiance.

Si l'on est frappé par une dépression à cet âge, il convient d'abord de rendre visite à une gynécologue pour faire le point sur le taux d'hormones et établir un traitement approprié. Si, au bout de quelques mois, il n'y a pas d'amélioration il faut aller parler de ses problèmes avec une thérapeute.

Il est évident que s'opère alors chez la femme une véritable « mue ». Elle doit s'adapter à un style de vie où le corps n'est plus l'entrée en matière ni auprès des hommes ni auprès des femmes; elle ne sera plus « objet » mais « sujet », c'est-à-dire une personne qui dit « je » et non pas « les autres ». Il faut, à cinquante ans, si on ne l'a pas eu jusque-là, avoir le courage de ses idées et de ses opinions, car c'est sur ce plan que s'établira la communication. La femme parvient enfin à ce dont elle a été détournée depuis sa plus tendre enfance : être celle qu'elle est vraiment et non plus celle qui plaît aux autres.

Il existe encore, dans bien des familles, des aïeules qui ont passé cet âge important sans rien modifier à leur façon de se percevoir et qui restent en tant que grand-mères ce qu'elles ont été en tant que mères : la femme qui se rend indispensable et prend *son plaisir* dans celui qu'elle peut procurer aux *autres*. De temps en temps, à l'occasion d'un compliment, elle a la sensation que rien n'a vraiment changé : c'est toujours l'autre qui lui dispense le droit à l'existence.

L'arrivée dans le troisième âge serait donc l'occasion d'un changement véritable chez la femme?

Oui, très certainement. Après toute une vie où la société, encore phallocrate, nous a enfermées dans le rôle de la maternité, nous a coincées sous le poids de nos responsabilités maternelles et a tout fait pour nous limiter à ce rôle, arrivent, vers cinquante ans, précisément au moment où s'envolent loin de nous nos enfants – et ce n'est pas un hasard – les premiers signes de fatigue inexplicable et les premiers « trous », ces mots qui capricieusement nous échappent quand nous en avons besoin dans la conversation. *Qui* ne veut pas se souvenir en nous? Ou *de quoi* voulons-nous ne rien savoir pour que la machine inconsciente se bloque ainsi?

Nous avons sans doute de la peine à dire au revoir à ce qui a été « notre vie » et une certaine mélancolie de ce qui ne reviendra plus; ce blocage des souvenirs est une sorte d'adieu que fait notre inconscient à ce que nous avons vécu, alors même que notre mémoire s'avère capable de fonctionner pour de nouvelles acquisitions intellectuelles que nous n'avions jamais eu le temps de faire : c'est le temps de lire, de voyager, de retourner sur les bancs de la faculté pour y apprendre enfin ce qui semblait autrefois superflu. C'est le temps du superflu, des nouvelles amitiés avec des gens de même âge rencontrés à l'occasion de nos sorties culturelles. Il ne s'agit plus de faire du culturisme ou de l'alpinisme, mais de la culture et de la nature; c'est là que nous rencontrerons ceux qui sont aussi au début d'une nouvelle façon de « vivre ».

Évitons surtout, après avoir été celle qui a été « la plus

belle », de devenir « celle qui est la plus malade » ; évitons ces palabres sans fin sur un état de santé qui ne mérite pas plus de commentaires que le « je ne peux pas » du trop petit ; maintenant nous sommes trop grandes... Peut-être trop usées pour certaines choses, mais libres pour d'autres. Nous avons du temps, de l'expérience et de la sagesse. N'est-ce pas ce qui nous a manqué pendant notre jeunesse ?

Mais ce n'est pas si facile de quitter la scène où nous avons toujours figuré comme « belle » pour regagner les coulisses de l'ombre. La femme n'a-t-elle pas le sentiment de retrouver le désert blanc de son enfance ?

Certes, toutes celles qui n'ont pas su se dégager de leur histoire de compétition avec « l'autre femme », autrement qu'en lui disputant la première place à coups de séduction et de beauté physique, se trouvent au moment de la ménopause devant un insoluble problème avec la disparition de leurs principaux atouts.

Elles sont alors ramenées à la case départ *de l'inégalité* en face d'autres femmes plus jeunes et plus séduisantes qu'elles. Si ces femmes ont cru dépasser leur problème avec la mère, cela n'a été que temporairement, grâce à l'action positive des hormones, et maintenant la déroute est totale : ce sont ces femmes qui font des dépressions graves à partir de la ménopause car elles ont TOUT perdu, ou plus exactement, elles ont perdu ce qu'elles croyaient être TOUT.

Pour les autres, qui ont vécu avec le bénéfice donné par les hormones, mais en ne négligeant pas pour autant la richesse de leur vie intérieure, elles se retrouvent aussi au départ, mais cette fois du côté de l'*intelligence* si merveilleuse de la petite fille, qui a pu devenir, à travers les années, un charme infini d'une inaltérable séduction. Une femme d'un certain âge, qui a connu la vie et peut en parler comme d'un voyage où elle a recueilli de magnifiques souvenirs, n'est-elle pas celle qu'on écoute volontiers ? Après le regard qui l'a rassurée pendant des années, la femme peut compter sur l'écoute de l'autre.

C'est l'âge où chacune ayant renoncé à ce qui se voit repère celle qui est comme elle à ce qui se dit. C'est le temps où, les armes de la guerre entre femmes étant déposées, il fait bon se retrouver « pareille » à l'autre, mais par le cœur et l'intelligence qui, eux, ne dépendent pas des hormones. C'est le moment de la vie où l'on désire retrouver de vieilles amitiés qu'on avait un peu oubliées et avec qui on peut parler « souvenirs », car si, à vingt ans, il y avait le présent doublé des rêves d'avenir, à soixante, il y a le présent doublé des souvenirs qui donnent son unité à une vie.

La vie sociale du troisième âge a pour la femme la même importance que l'école lorsqu'elle était petite. C'est dans la société des femmes et hommes de son âge qu'elle a envie de prendre la place qui est enfin la sienne et non plus celle des autres. Vous savez, la « vieille dame indigne », ce n'est pas un rêve et si elles n'étaient pas retenues par un mari, un entourage habituel, des principes, beaucoup de femmes au-delà de soixante ans vivraient comme elles n'ont jamais vécu. C'est-à-dire LIBRES...

C'est souvent leur entourage immédiat qui brime leur liberté, sous prétexte qu'à son âge mamie doit se « ranger ». Et mamie, qui n'en a peut-être pas la moindre envie, se laisse organiser une petite vie bien sage de personne âgée, parce qu'elle a, une fois de plus, le réflexe de « faire le plaisir des autres ».

Les personnes âgées ont souvent (plus particulièrement les femmes) le cœur tout neuf, n'ayant pas eu l'occasion de sortir du cadre familial depuis l'âge de leur mariage...

Mais bien des mamies s'organisent ainsi une petite vie à part, séparée des enfants et souffrent de solitude...

Parce qu'il n'est pas suffisant de s'installer à part, loin des jeunes! Il faut aussi, comme je l'ai dit, avoir des contacts sociaux, des gens avec qui parler, avec qui jouer, avec qui marcher sans avoir à courir. L'important, quand on vieillit, c'est de ne pas vivre SEUL, l'être humain, quel que soit son âge, n'est pas fait pour la solitude; il a besoin de paroles comme il a besoin de nourriture. Nous restons jusqu'au bout avec un corps et un esprit voraces. Trop souvent, dans l'installation de la grand-mère, on ne songe qu'à son bien-être physique et c'est la catastrophe sur le plan moral, qui fait chuter le goût de vivre, diminue les aspirations et ouvre la voie à cette terrible question humaine jusque-là si bien évitée : « A quoi ça sert de vivre ? »

Tant de changements, tant de transformations physiques, tant de joies du corps et du cœur pour se retrouver au soir de la vie devant la terrible question métaphysique de l'utilité de la vie.

C'est pourquoi une femme au-delà de soixante ans vivra d'autant mieux qu'elle vivra en couple et conservera d'autant plus ses facultés mentales qu'elle pourra s'en servir dans l'échange avec les autres.

L'idée de la maison de retraite n'est pas une mauvaise idée, dans la mesure où elle n'est ni une garderie ni un mouroir, mais ouvre sur des activités adaptées au troisième âge ; dans la mesure aussi où la personne, tout en cultivant son présent de tous les jours, continue de voir régulièrement sa famille qui est son passé et le futur de sa race.

La femme au-delà de la ménopause confirmée garde-t-elle une vie sexuelle, du désir, des sensations érotiques ?

Tout cela peut être conservé, mais uniquement si la femme continue de sécréter d'elle-même un taux d'hormones suffisant (ce qui est rare) ou si elle pallie la déficience hormonale par la prise régulière d'hormones qui lui assurent la permanence de la libido et des réactions locales nécessaires à l'amour physique. Beaucoup de vieillards interrogés sur leur vie sexuelle ont déclaré continuer les rapports physiques jusqu'à soixante-dix ans et au-delà. C'est plus souvent l'homme qui en est « naturellement » capable, le taux de ses hormones chutant lentement et régulièrement tout au long de sa vieillesse ; la femme, si elle ne s'en protège pas, assiste à une chute brutale de son désir et de ses capacités de lubrification interne.

Le contact profond entre les corps reste toujours « rassurant », car il permet d'éprouver le sentiment inconscient et primitif d'osmose avec l'autre et quel que soit l'âge où se produit l'acte sexuel, il est toujours générateur de force et d'élan à vivre, par le simple fait qu'il permet d'éprouver la non-solitude.

La vie humaine ne serait qu'une longue boucle dont la fin rejoint le début, mais tandis que l'enfant doit s'arracher peu à peu à la symbiose avec la mère, le vieillard et la femme âgée tentent de retrouver jusqu'au bout la symbiose fondamentale ; que ce soit par des mots, ou par des gestes, l'être humain reste ou devrait rester jusqu'au bout en relation de corps et de langage avec ses pareils. C'est d'ailleurs ce qui fait sa spécificité parmi tous les êtres vivants.

Finalement vieillir seule n'est pas une bonne solution pour la femme âgée ?

Non, certainement pas, car c'est le moyen de n'avoir ni présent, parmi des femmes d'âge similaire, ni passé en commun avec qui que ce soit. Il ne reste qu'à contempler le futur proche : la mort.

Qui n'a plus d'histoire, ni de corps à partager avec quelqu'un se voit retourner à des pensées presque informulables qui font plus ou moins partie de l'inconscient. La personne perd doucement la tête, car rien ne l'oblige plus à rester en contact avec le réel.

Que dire de ces très vieilles dames qui, du fond de leur solitude, se mettent à appeler leur propre fille « maman » ? N'est-ce pas le signe d'une régression fantastique où la vieille dame refuse ce qu'elle est pour retourner à ce qu'elle a été : une petite fille qui n'a connu que sa maman...

La ménopause

La ménopause est souvent confondue avec la période qui la précède immédiatement la **périménopause** qui, selon les femmes, va de 45 à 52 ans environ, et se signale, du point de vue hormonal comme du point de vue symptomatique, par une période de chamboulements des cycles habituels à la femme et des variations d'humeur inattendues. Tout cela prépare et annonce le grand changement à venir au cours de la cinquantaine : la ménopause.

Troubles de la périménopause

A n'importe quel moment entre 45 et 50 ans et parfois plus précocement, l'activité de l'ovaire commence à devenir défaillante, les ovaires vieillissants n'assurent plus aussi correctement leur fonction : l'ovulation ne se fait plus qu'irrégulièrement et le cycle mensuel de la femme devient plus ou moins fantaisiste.

Sur le plan hormonal, nous assistons, avec la dégénérescence de l'ovaire, à une moins bonne sécrétion des hormones. C'est la progestérone qui, à cette époque de la vie de la femme, vient la première à diminuer ou à manquer, alors que les œstrogènes sont encore à peu près correctement fabriqués. L'absence d'une hormone et la présence de l'autre créent chez la femme un déséquilibre physique, propre à cette période : **l'hyper-**

œstrogénie, celle-ci se manifeste par des symptômes physiques bien particuliers et aisément reconnaissables :

- Gonflement et sensation de tension dans les seins, avec parfois apparition de mastoses : présence dans les glandes mammaires de zones grumeleuses et douloureuses.
- Gonflement et tension abdominale.
- Signes de rétention d'eau avec prise de poids.
- Hyper-sécrétion de glaire cervicale et donc présence de pertes vaginales incolores et non infectieuses.
- Changement de l'humeur habituelle avec apparition de : nervosité excessive, hyper-activité, irritabilité, insomnie et parfois hyper-appétence sexuelle.

Traitement de la périménopause

La progestérone va être le médicament de choix, car il faut apporter du dehors ce qui n'est plus sécrété par l'ovaire naturellement.

Ce traitement est facile : il est pris par voie orale pendant 10 jours chaque mois du 15e au 25e jour du cycle, il est bien supporté et fait disparaître comme par enchantement les perturbations dues au manque de progestérone. Il devra être poursuivi jusqu'à l'arrêt définitif des règles et remplacé alors par le traitement hormonal de la ménopause.

Si la femme a une contraception par voie orale, il est évident que, recevant chaque mois des doses minimes d'œstrogènes et de progestérone, elle peut franchir dans la plupart des cas allégrement toute cette période de déséquilibre hormonal, puisque la régularité des hormones lui est assurée de l'extérieur. Donc, si le bilan sanguin et la T.A. restent satisfaisants, la femme a intérêt à continuer la pilule jusqu'à la ménopause.

La contraception, quelle qu'elle soit, ne doit pas être abandonnée à cette période de l'existence de la femme, car si l'ovulation se fait de façon plus capricieuse, le risque de grossesse est également capricieux et présent... Le traitement progestatif de la préménopause n'est en rien contraceptif, et ce n'est d'ailleurs pas là son but.

La ménopause proprement dite

La ménopause est une assez courte période, puisque c'est le passage du dysfonctionnement ovarien à l'arrêt complet avec disparition des règles. C'est la porte étroite que les femmes doivent obligatoirement franchir pour quitter l'ère de la jeunesse et de la reproduction et entrer dans le temps du troisième âge et de la stérilité physique.

La femme, après l'arrêt de sa vie hormonale, va encore vivre 20 ou 30 ans sans hormones et sans leur bénéfique influence sur tout le corps. Une fois la fonction ovarienne arrêtée, il n'y a plus de retour en arrière possible : il n'y a plus ni œstrogènes ni progestérone, donc plus de cycle et plus de règles.

Cet arrêt va provoquer pendant quelques mois ou quelques années (entre 2 et 5 ans) des réactions de tout l'organisme qui cherche par d'autres voies à retrouver ses habitudes; l'hypophyse en particulier, dont dépendait chaque mois le déclenchement de la FSH et LH, va s'emballer exagérément et produire en chaîne le dérèglement de l'hypothalamus (grand ordinateur des hormones) et, par voie de conséquence, du système thermorégulateur. Les troubles causés par l'arrivée de la ménopause sont très spécifiques et connus par les femmes entre 50 et 55 ans (excepté 20 à 30 % d'entre elles) il s'agit de :

Bouffées de chaleur

Qui la surprennent n'importe quand et n'importe où : la femme se retrouve brutalement toute rouge, la sueur au front, le maquillage fondu, et fort désagréablement surprise de ce tour que lui joue son corps. Les bouffées de chaleur sont variables d'une femme à l'autre, certaines n'en ont pas du tout et d'autres n'osent plus paraître en public !

Insomnie

Les troubles du sommeil font partie des perturbations classiques de la ménopause avec difficulté à l'endormissement et réveil brutal en panique en pleine nuit trempée de sueur.

Prise de poids

Déjà un peu apparue à l'âge de 45 ans, elle ne fait que se confirmer autour de la cinquantaine. La moitié des femmes prennent de 3 à 6 kilos entre périménopause et ménopause : cela s'explique lorsqu'on sait que les centres de l'appétit et de la satiété sont situés dans dans une région proche de l'hypothalamus, glande soumise à de grands bouleversements entre le début et la fin de la ménopause.

Troubles du caractère et dépression

Bien des femmes en arrivent à la **dépression** et perdent l'entrain à vivre qui était le leur. Elles se sentent vite fatiguées et débordées par ce qu'elles assuraient allégrement auparavant.

Ajoutez à cela **les pertes de mémoire,** au début sélectives et touchant les noms et prénoms, puis peu à peu s'étendant à des faits récents.

Conséquences de l'arrêt total des hormones

Sécheresse vaginale

Les sécrétions vaginales qui étaient sous l'influence des hormones vont diminuer de telle sorte que la **lubrification du vagin** et de ses alentours n'étant plus assurée, le rapport sexuel peut devenir douloureux, voire impossible (il est alors indispensable que la femme utilise gels et crèmes, qui assureront une lubrification locale). Mais le désir venu avec les hormones à l'adolescence ne s'enfuit-il pas lui aussi peu à peu ?

Peu à peu **l'utérus** devient lui aussi plus petit et les ovaires régressent, la **vulve** et le **vagin** sont touchés par cette involution et les caresses clitoridiennes elles-mêmes peuvent devenir insupportables.

L'acte sexuel n'est accompli que comme devoir envers le partenaire qui continue lui, parfois jusqu'à un âge avancé, à trouver du plaisir à l'échange sexuel... Il y a là un problème qui devient problème de couple, la sexualité ne remplissant plus son rôle de fusion physique, l'homme et la femme prennent des distances vis-à-vis l'un de l'autre.

On est étonné, quand on est gynécologue, de voir les femmes fermer les yeux sur ce problème, alors qu'elles auraient dû le prévoir et qu'elles auraient pu y remédier en temps utile par le traitement œstro-progestatif de la ménopause...

Traitement œstro-progestatif

Il consiste à remplacer les hormones déficientes chez la femme, par un apport extérieur hormonal, avec établissement d'un cycle voisin de celui qu'a connu la femme pendant toute sa vie.

Il peut débuter à partir du moment où la chute hormonale est manifeste (disparition des règles) ou après avoir demandé au laboratoire un dosage plasmatique des œstrogènes dont l'absence confirme le diagnostic de ménopause.

Quelques examens de base seront pratiqués au préalable : mammographie, examen du sang (cholestérol, triglycérides, etc.) et prise de T.A.

Les hypertendues, les hyperlipidiques, les diabétiques, les variqueuses peuvent bénéficier du traitement hormonal de substitution, à condition de soigner parallèlement leur dysfonctionnement métabolique.

Le traitement est simple, mais la femme doit se conformer à une surveillance régulière au cours des premiers mois.

La prise d'œstrogènes a lieu pendant 20 à 25 jours, à quoi s'ajoute à partir du 10e jour la progestérone, dont vous vous souvenez qu'elle intervient dans la deuxième partie du cycle féminin; cette séquence sera suivie d'un arrêt de quelques jours pour permettre aux règles éventuelles de venir.

En effet, nous avons déjà vu qu'œstrogènes et progestérone ont pour effet de faire pousser la muqueuse utérine qui desquame lors des règles chaque mois. Ici, le taux d'hormones obtenu est infiniment moins élevé que celui que la femme avait dans le sang grâce à ses propres sécrétions et la poussée de l'endomètre va être insignifiante, mais elle va donner lieu à une petite desquamation : autrement dit vous allez avoir à nouveau des RÈGLES! Peu abondantes et très courtes, mais des règles tout de même. Il faudra y songer lorsque vous partirez en voyage.

Il faut faire la différence entre ce traitement de substitution qui utilise des hormones naturelles et la pilule contraceptive (produits hormonaux de synthèse) destinée à bloquer l'ovulation, ce qui n'est plus notre objectif puisqu'il n'y a plus d'ovulation.

La progestérone prescrite en 2ᵉ partie du traitement est indispensable pour éviter les risques **d'hyperœstrogénie** (en particulier la cancérisation de la muqueuse utérine, et de la glande mammaire).

MAIS LES HORMONES FONT PEUR...

En prescrivant des hormones qui ne sont plus sécrétées naturellement par la femme, les femmes – et combien de médecins hommes – ont peur d'être punies d'avoir voulu contourner ce que la nature imposait... Et la pire punition n'est-elle pas le cancer? Épouvantail encore trop souvent utilisé par des praticiens partisans de « laisser faire » la nature.

En fait, nous avons vu que le risque de cancer est toujours surveillé et que certaines contre-indications sont toujours respectées : les antécédents de phlébite ou embolie pulmonaire en sont un exemple.

Les effets du traitement substitutif sont **spectaculaires :** disparition des bouffées de chaleur et transpirations nocturnes et apparition d'une sensation générale de bien-être; en un cycle ou deux, la cohorte des troubles physiques et psychiques (en particulier l'état dépressif) disparaît.

Il faut ajouter ici que la femme ayant subi une hystérectomie (ablation de l'utérus) avec ablation des ovaires se trouve immédiatement, et quel que soit son âge, dans la position de la femme ménopausée et qu'elle doit être traitée identiquement. En revanche, celle qui n'a eu qu'une ablation de l'utérus et a conservé ses ovaires n'aura de signes extérieurs de ménopause qu'à l'âge de la ménopause vraie.

L'ostéoporose

Elle mérite qu'on lui fasse ici une place toute particulière car c'est une déminéralisation osseuse qui survient après la ménopause et qui entraîne le tassement vertébral responsable des déformations du dos propres aux femmes âgées. Elle est également à l'origine des nombreuses fractures osseuses, dont la plus célèbre est la « fracture du col du fémur » survenant à la suite d'une chute malencontreuse chez une femme, dont les os sont déjà fragilisés depuis un certain temps par l'ostéoporose.

Les résultats obtenus par le traitement œstro-progestatif sur cette seule maladie qui rend les femmes difformes dès l'âge de 70 ans, seraient à eux seuls une raison de le prescrire.

Ce traitement ayant été instauré dès la ménopause confirmée, il n'y a aucune raison de l'arrêter si la surveillance en est assurée régulièrement.

Le traitement, s'il est poursuivi pendant des années, va permettre d'éviter le développement de l'ostéoporose et des autres manifestations (peau, cheveux, sécheresse vaginale, etc.) qui sont le lot de la femme ménopausée.

Les hormones et l'inconscient
chez la femme

La gynécologue : Pour moi, les hormones jouent un rôle prépondérant dans la vie féminine car c'est sur l'équilibre hormonal que repose le bien-être de la femme. Quand cet équilibre vient à être perturbé au cours de la vie, des troubles physiques apparaissent : la femme qui a trop ou pas assez d'hormones perd son bel équilibre.

Il y a une évidence : les femmes sont soumises aux cycles de deux hormones, tandis que les hommes ne subissent toute leur vie qu'une seule influence hormonale, celle de la testostérone qui les accompagne de quinze à soixante ou quatre-vingts ans de façon tonique et permanente.

Dans la plupart des cas, le taux de testostérone chute lentement et régulièrement, la libido aussi... Alors que chez la femme à partir de la ménopause la chute des hormones est rapide et définitive.

Le plus significatif est de tracer une courbe des influences hormonales au cours de la vie féminine.

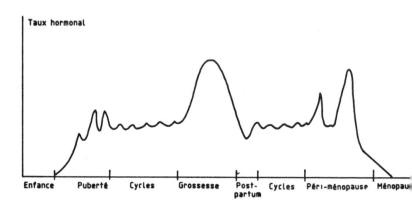

Taux hormonal

Enfance   Puberté   Cycles   Grossesse   Post-   Cycles   Péri-ménopause   Ménopau
                                            partum

La psychanalyste : Si la courbe des hormones est irrégulière, les deux hormones agissent en synergie, apparaissent et disparaissent de même au cours de la vie féminine, tout cela est repérable, mais que dire de la naissance de l'inconscient (dont on pense qu'il débute *in utero*...) et de la naissance du conscient qui se fait progressivement, du premier jour jusqu'à cinq ou six ans? Peut-on tenter de tracer une courbe de l'inconscient, c'est-à-dire de ce qui ne se voit pas? Je ne serai ni la première ni la seule analyste qui essayera de matérialiser sous une forme concrète une réalité invisible : n'est-ce pas ce qu'a tenté Freud avec ses différentes topiques de l'inconscient et Lacan avec ses formules, hermétiques pour la plupart... Et si vous n'avez rien compris à la formule qui représente pour Lacan l'Inconscient soit : $\frac{S'}{S} \times \frac{S}{s} \rightarrow S' \frac{(I)}{s}$, peut-être aurez-vous plus de chances de comprendre quelque chose de l'inconscient avec la courbe qui va suivre.

Dites-vous bien que toute formulation d'énoncé portant sur un domaine aussi secret que l'âme humaine ne peut être qu'intuitive. Cependant, si l'on veut avancer dans la compréhension de ce qui se passe à l'intérieur de l'être humain, il faut bien accepter d'être incompris comme Freud ou critiqué comme Lacan. Chaque psychanalyste qui s'avance dans la représentation de ce qui n'est pas représentable prend un risque, mais concourt à atteindre quelque chose de conforme à la réalité informulable de l'être...

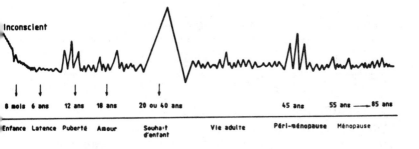

L'inconscient a débuté bien avant l'apparition du sujet puique nous pensons qu'*in utero* l'enfant est déjà influencé par le contexte affectif et social dans lequel vit sa mère. La courbe de l'inconscient commence au plus haut de ce qu'elle sera jamais, car l'enfant naissant est en plein inconscient, ne sachant ni où il est, ni où il va... Il reconnaît uniquement la voix de ses parents, tout le reste lui étant inconnu : les sensations nouvelles de son corps affronté au vide et à la pesanteur, comme les bruits, les odeurs et les lumières qui l'atteignent directement. La seule pérennité paraît être le bruit du cœur de la mère qui l'a accompagné pendant neuf mois; c'est pourquoi déposé nu, sur sa mère nue, il paraît se rasséréner.

Pendant les premiers jours, le bébé dort la plupart du temps, c'est-à-dire qu'il retourne vingt heures sur vingt-quatre à son état inconscient précédent. Il n'est guère éveillé que pour remplir par la tétée un état d'insatisfaction intérieur dont il ignore que c'est la faim...

L'enfant a faim, mais ne SAIT pas consciemment de quoi

il souffre : c'est de là que nous partons tous. Peu à peu, au cours des cinq premières années de notre vie, nous apprenons à émettre des mots et des signes pour dire ce que nous voulons, d'abord à l'Autre, puis à tous les autres... La scolarité et la culture nous aideront à mesurer les richesses qui nous entourent, à mettre des mots sur le monde pour assurer notre pouvoir sur lui.

L'inconscient initial, informulable et invisible, cède peu à peu la place au conscient avec ses mots, ses images, ses signes. Transformation jamais achevée... Transformation toujours à reprendre, à perfectionner pour s'adapter toujours mieux à la réalité. En effet, celle-ci est bien frustrante si l'inconscient est aux commandes ! Plus nous devenons conscients de ce que nous sommes, plus nous vivons aisément dans les conditions de vie qui sont les nôtres.

Chacun de nous vit sur deux plans, celui bien organisé et apparemment logique de son conscient et celui beaucoup moins logique et beaucoup plus secret de son inconscient. La vie paraît équilibrée quand c'est le conscient qui mène les choses ; dans le cas contraire, c'est la névrose et sa cascade d'inadaptations !

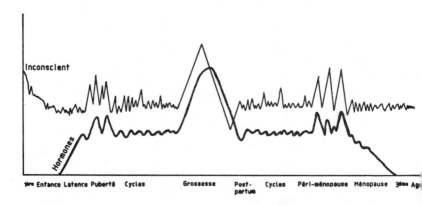

Et que fait la courbe hormonale qui vient s'inscrire en tiers dès l'adolescence ? Il est clair, en regardant ce tableau, que les hormones ont partie liée avec l'inconscient et que trois endroits de la vie féminine figurent comme cruciaux : l'*adolescence*, la *grossesse* et la *ménopause* où les pics d'intensité de l'inconscient et du système hormonal se chevauchent et s'entrecroisent, où donc, l'inconscient s'affole alors que consciemment du début à la fin de sa vie la femme SAIT ce qui l'attend. Mais comment l'accepte-t-elle intérieurement, là est tout son problème, et si elle l'accepte mal dans sa tête que vont faire son corps et ses glandes sécrétrices d'hormones? Ouverture sur la partie psycho-somatique des maladies et insuffisances des femmes...

Mais si les hormones ne surgissaient pas à un moment donné dans la vie de la fillette, faisant de son corps celui d'une femme, comment le « je veux être une femme » prendrait-il le pas sur « je ne veux pas être une femme comme elle » ?

Sans le secours des hormones, est-ce que la lutte conscient/inconscient aurait abouti à un projet réaliste et constructif tel que le couple, l'enfant ou la famille? C'est la dernière question que pose ce livre : les hormones féminines font-elles pencher la balance de la fille vers ce que lui « souhaitait » depuis le début sa Mère?

Table

Cet ouvrage a été réalisé par la
Société Nouvelle Firmin-Didot
Mesnil-sur-l'Estrée
pour le compte des Éditions Denoël
en septembre 1990

Dépôt légal : septembre 1990 – N° d'édition : 3307 – N° d'impression : 15809
Imprimé en France

3307